English
Français
Deutsche
Italiano
Español
Português

www.forgottenbooks.com

Mythology Photography **Fiction**
Fishing Christianity **Art** Cooking
Essays Buddhism Freemasonry
Medicine **Biology** Music **Ancient
Egypt** Evolution Carpentry Physics
Dance Geology **Mathematics** Fitness
Shakespeare **Folklore** Yoga Marketing
Confidence Immortality Biographies
Poetry **Psychology** Witchcraft
Electronics Chemistry History **Law**
Accounting **Philosophy** Anthropology
Alchemy Drama Quantum Mechanics
Atheism Sexual Health **Ancient History**
Entrepreneurship Languages Sport
Paleontology Needlework Islam
Metaphysics Investment Archaeology
Parenting Statistics Criminology
Motivational

ISBN 978-0-484-95706-9
PIBN 10344190

ELEMENTE

DER

PROJECTIVISCHEN GEOMETRIE.

AUF GRUND NEUER

VOM PROFESSOR CARL KÜPPER HERRÜHRENDER

DEFINITIONEN UND BEWEISE

LEICHT FASSLICH ZUSAMMENGESTELLT

VON

WILHELM RULF,

PROFESSOR AN DER K. K. DEUTSCHEN STAATSGEWERBESCHULE
IN PILSEN.

———

MIT VIELEN IN DEN TEXT EINGEDRUCKTEN HOLZSCHNITTEN.

———

HALLE a. S.
VERLAG VON LOUIS NEBERT.
1889.

SEINEM HOCHGEEHRTEN LEHRER

HERRN PROFESSOR

CARL KÜPPER

IN

DANKBARKEIT UND VEREHRUNG

GEWIDMET

VOM

VERFASSER.

VORWORT.

Das vorliegende Büchlein verdankt sein Entstehen den Vorträgen, welche Herr Professor Carl Küpper seit 1867 an der deutschen technischen Hochschule in Prag über Geometrie der Lage gehalten hat. Der Verfasser hatte, nachdem er 1868—1871 sein Schüler gewesen, die Ehre, von 1875—1879 sein Assistent zu sein.

Es erschöpft die genannten Vorträge keineswegs vollständig, da es nicht zu umfangreich werden sollte, sondern es zeigt zunächst, wie an der Hand eigener Definitionen Herr Professor Küpper seine Hörer rasch in das Gebiet der Projectivität und Involution einführt. Hierauf lernt der Leser die Collineation auf Grund neuer Beweise kennen und dieselbe sofort für die Kegelschnitte verwerten. Insbesondere gründlich sind die Schnittpunkte zweier Kegelschnitte behandelt, und dem fachkundigen Leser wird die allgemeine und einfache Betrachtung des Kegelschnittbüschels nicht entgehen. Die höheren Curven sind vielleicht einer späteren Zeit aufbewahrt, wenn das Werkchen jene freundliche Aufnahme findet, die den Wunsch eines jeden Verfassers und seinen besten Lohn bildet.

Das Buch setzt zu seinem Verständnisse die Kenntnis der Euklidischen Geometrie, wie sie an den Mittelschulen gelehrt wird, und eine gewisse Fertigkeit im räumlichen Denken, wie sie an den genannten Anstalten durch den Unterricht in der Stereometrie und insbesondere durch jenen in der darstellenden Geometrie erworben wird, voraus. Der Verfasser hat sich auf die allernothwendigsten Figuren beschränkt und dort, wo solche fehlen, dieselben durch deutliche Beschreibung ersetzt, so dass der geneigte Leser die Zeichnungen selbst leicht entwerfen kann.

Zum Schlusse drückt der Gefertigte seinem hochgeehrten Lehrer, Herrn Professor Küpper, für die Gestattung der Benützung seiner Vorträge den tiefgefühltesten Dank aus.

Pilsen, im Mai 1889.

Der Verfasser.

Inhaltsverzeichnis.

§ 1. Die Punktreihe und das Strahlenbüschel.

1. Eine Linie, dieselbe mag gerade oder krumm sein, enthält unendlich viele Punkte, deren Gesammtheit als *Punktreihe* bezeichnet wird. Die Linie heisst der *Träger,* und jeder einzelne Punkt ein *Element* derselben. Die Punkte sollen im folgenden mit den kleinen Buchstaben des Alphabetes bezeichnet werden. Den letzteren werden zur Vermehrung der Zeichen und zur Unterscheidung Stellenzeiger beigefügt. Die Punktreihe selbst wird dadurch bezeichnet, dass man die Zeichen der Elemente neben einander schreibt z. B. *a b c d ....*

Die *gerade Punktreihe* ist jene, bei welcher der Träger eine Gerade ist. Man nennt sie auch ein *gerades Gebilde.* Die *krumme Punktreihe* ist jene, deren Träger eine krumme Linie ist. Gewöhnlich hebt man es besonders hervor, ob die Punktreihe krumm ist, man hat also dann unter Punktreihe schlechtweg nur eine gerade Punktreihe zu verstehen.

Ein *besonderes Element* der geraden Punktreihe ist der *unendlich ferne Punkt* derselben.

Man kann sagen, dass eine jede Gerade nur einen einzigen unendlich fernen Punkt besitzt, wie folgende Betrachtung zeigt. Es sei *o* Fig. 1 ein ausserhalb der Geraden *G* gelegener Punkt. Jede durch ihn gezogene Gerade *A* schneidet *G* in einem einzigen Punkte *a.* Dieser fällt ins Unendliche, wenn *A* parallel *G* wird. Da es jedoch nach dem Axiom des Euklides durch *o* nur eine einzige Parallele zu *G* gibt, so gibt es auch nur

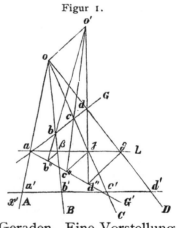

Figur 1.

einen unendlich fernen Punkt in der Geraden. Eine Vorstellung

darf man damit allerdings nicht verbinden, denn das, was sich
unserer Vorstellung in der Grössenlehre entzieht, wird ja als
unendlich, sei es unendlich klein oder unendlich gross bezeichnet.
Man kann sich auch zwei oder mehrere Punktreihen auf
demselben Träger denken, dieselben werden dann als *Punktreihen mit demselben Träger* oder als *conlocale Punktreihen*
bezeichnet.

2. Durch einen Punkt kann man in einer Ebene unendlich viele Strahlen ziehen, welche in ihrer Gesammtheit ein
Strahlenbüschel genannt werden. Der Punkt heisst der *Träger,
Mittelpunkt* oder das *Centrum,* jeder Strahl ein *Element* desselben. Die letzteren werden mit den grossen Buchstaben
des Alphabetes bezeichnet, denen man zur Vermehrung der
Zeichen noch Zeiger anhängt. Das Strahlenbüschel selbst wird
dadurch bezeichnet, dass man zuerst das Zeichen des Trägers
schreibt und daneben in eine Klammer die Zeichen der Elemente setzt z. B. $o(ABCD....)$. Siehe Fig. 1.

Ist der Träger des Strahlenbüschels ein unendlich ferner
Punkt, so sind sämmtliche Elemente unter einander parallel,
und das Büschel heisst ein *Parallelstrahlenbüschel.* Ein besonderes Element desselben ist die *unendlich ferne Gerade der Ebene.*

Man kann nämlich sagen, dass alle unendlich fernen
Punkte in einer Ebene auf einer Geraden liegen. Eine ähnliche Betrachtung, wie die unter 1), führt dazu. Es sei E eine
Ebene, o ein ausserhalb derselben gelegener Punkt. Jede
durch o gelegte Ebene schneidet E in einer Geraden. Diese
fällt ins Unendliche, wenn die Ebene parallel E wird. Da es
aber durch o nur eine einzige parallele Ebene gibt, so gibt es
auch nur eine einzige unendlich ferne Gerade. Eine Vorstellung darf man auch hier wieder damit nicht verbinden.

Mehrere Stahlenbüschel können auch denselben Träger
haben. Sie werden *concentrische* oder *conlocale Strahlenbüschel*
genannt.

3. **Gegenseitige Beziehungen zwischen Punktreihe und
Strahlenbüschel.** Verbindet man die Elemente einer Punktreihe $abcd....$ Fig. 1 mit einem ausserhalb ihres Trägers G
gelegenen Punkt o, so sagt man, dass man von o aus die
Punktreihe *projiciert.* Das Resultat des Projicierens ist, wie
man sieht, ein Strahlenbüschel.

Schneidet man ein Strahlenbüschel $o(ABCD....)$ Fig. 1
mit einer nicht durch den Träger desselben hindurchgehenden
Geraden G, so entsteht auf der letzteren die Punkreihe $abcd.....$

§ 2. Perspectivische Lage, Projectivität.

4. Erscheinen zwei Punktreihen als der Schnitt eines und desselben Strahlenbüschels, so sagt man, sie befinden sich in *perspectivischer Lage* oder sind *perspectivisch*. Dabei werden je zwei Punkte, welche auf demselben Strahle liegen, als *einander entsprechende, zusammengehörige* oder *homologe Punkte* bezeichnet und gewöhnlich mit denselben Buchstaben, denen man zur Unterscheidung Zeiger anhängt, beschrieben. So sind in Fig. 1 drei Punktreihen perspectivisch, nämlich $a\,b\,c\,d\ldots$, $a\,\beta\,\gamma\,\delta\ldots$ und $a'\,b'\,c'\,d'$. In dem Schnittpunkte der Träger G und L decken sich ein Paar homologe Punkte der perspectivischen Punktreihen $a\,b\,c\,d\ldots$ und $a\,\beta\,\gamma\,\delta\ldots$

Projicieren zwei Strahlenbüschel eine und dieselbe Punktreihe, so sagt man, sie befinden sich in *perspectivischer Lage* oder sind *perspectivisch*. Je zwei Strahlen, die durch denselben Punkt der Punktreihe hindurchgehen, heissen *einander entsprechende, zusammengehörige* oder *homologe Strahlen* und werden mit denselben grossen Buchstaben bezeichnet, denen man noch zur Unterscheidung Zeiger anhängt. In der Verbindungslinie der beiden Träger der Strahlenbüschel decken sich zwei homologe Strahlen.

5. **Zwei perspectivische Punktreihen können dadurch in eine neue perspectivische Lage gebracht werden, dass man zwei homologe Punkte derselben zur Deckung bringt.**

Beweis. Man denke sich in Fig. 1 den Träger G' sammt der Punktreihe $a'\,b'\,c'\,d'\ldots$ herausgehoben und so in den Raum gelegt, dass a' auf a fällt. Dann kommt b' nach b'', c' nach c'' d' nach d'' u. s. w. f., und es ist zu zeigen, dass die Geraden $b''b$, $c''c$, $d''d$ u. s. w. f. sich in einem einzigen Punkte, dem *Centrum der Perspectivität*, schneiden.

Figur 1.

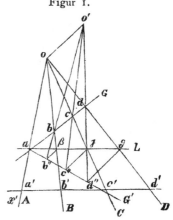

Zieht man durch a die Gerade L parallel zu G', so schneidet diese das Strahlenbüschel in der Punktreihe $\alpha\,\beta\,\gamma\,\delta\ldots$ und es sind nach den Lehren der Planimetrie folgende Verhältnisse gleich:

$$a\beta : a'b' = a\gamma : a'c' = a\delta : a'd' = \ldots$$

oder $a\beta : ab'' = a\gamma : ac'' = a\delta : ad'' = \ldots$

daher $b''\beta \parallel c''\gamma \parallel d''\delta \parallel \ldots$

Zieht man durch o eine Parallele zu $b''\beta$, so schneidet diese die Ebene $G a d''$ in o'. Je drei zusammengehörige Punkte wie $bb''\beta$ bestimmen eine Ebene, welche die Gerade $o o'$ enthält. Diese Ebene schneidet die Ebene $G a d''$ in der Geraden $b''b$, daher muss diese durch o' hindurchgehen. Dasselbe gilt von $c''c$, $d''d$ u. s. w. f.

In Fig. 1 treten zwei perspectivische Strahlenbüschel auf, die sich jedoch nicht in derselben Ebene befinden, nämlich $o(a b c d \ldots)$ und $o'(a b c d \ldots)$.

6. **Werden zwei Punktreihen derart auf einander bezogen, dass einem Punkte der einen nur ein Punkt der anderen entspricht, und lassen sie sich durch Deckung von zwei homologen Punkten in perspectivische Lage bringen, so nennt man sie projectivisch.**

Aus dieser Erklärung folgt, dass perspectivische Punktreihen auch projectivisch sind.

Zur Bezeichnung der Projectivität hat v. Staudt das Zeichen $\overline{\wedge}$ eingeführt. In Fig. 1 ist daher

$$a b c d \ldots \overline{\wedge} a'b'c'd' \ldots$$

Manche Schriftsteller haben für die Perspectivität das Zeichen $(\overline{\wedge})$ in Verwendung.

7. **Zwei projectivische Punktreihen sind durch drei Paar homologe Punkte** abc **und** $a'b'c'$ **vollkommen bestimmt.**

Beweis. Man bringe die beiden Punktreihen dadurch in perspectivische Lage, dass man zwei homologe Elemente a und a' zur Deckung bringt. Das Centrum der Perspectivität o ist hierauf durch die beiden Geraden bb' und cc' vollkommen bestimmt, und zu jedem beliebig in der ungestrichelten Punktreihe angenommenen Punkte x ist der homologe x' durch den Strahl $o x$ bestimmt.

Das Bestimmen des homologen Punktes zu einem beliebig in der einen Punktreihe angenommenen Punkte, nennt man das *Vervollständigen der projectivischen Punktreihen.* Später werden zur Ausführung desselben einfache Methoden gegeben werden.

8. **Aehnliche und congruente Punktreihen.** Entsprechen sich in zwei projectivischen Punktreihen die unendlich fernen

Punkte, so heissen sie *ähnlich.* In Fig. 1 sind die Punktreihen $a\beta\gamma\delta\ldots$ und $a'b'c'd'\ldots$ ähnlich.

Aehnliche Punktreihen sind durch zwei Paar homologe Punkte vollkommen bestimmt, da die unendlich fernen Punkte ihrer Träger einander entsprechen. Man wird sie in perspectivische Lage gebracht haben, wenn man ihre Träger zu einander parallel legt, denn dann decken sich die beiden homologen, unendlich fernen Punkte. Bringt man irgend zwei andere homologe Punkte zur Deckung, so muss das Centrum der Perspectivität ins Unendliche fallen, denn es muss auf der Verbindungslinie der beiden unendlich fernen Punkte der Träger gelegen sein. Alle Verbindungslinien homologer Punkte müssen unter einander parallel sein, und es sind daher folgende Verhältnisse gleich: $ab : a'b' = ac : a'c' = ad : a'd' = \ldots$ Ist überdies der Exponent dieses constanten Verhältnisses *1*, so heissen die Punktreihen *congruent,* denn sie können, da dann $ab = a'b'$, $ac = a'c'$ u. s. w., zur Deckung gebracht werden. Legt man die Träger congruenter Punktreihen zu einander parallel, so müssen auch die Verbindungslinien homologer Punkte zu einander parallel sein.

Stimmen zwei projectivische Punktreihen in drei Elementen überein, so sind sie congruent.

9. **Zwei Punktreihen einer dritten projectivisch sind untereinander projectivisch.**

Beweis. Es ist zu zeigen, dass, wenn $abcd\ldots\barwedge a\beta\gamma\delta\ldots$ und $a'b'c'd'\ldots$ $\barwedge a\beta\gamma\delta\ldots$, auch $abcd\ldots\barwedge a'b'c'd'\ldots$

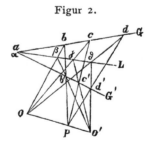

Figur 2.

Man bringe die drei Punktreihen Fig. 2 in eine solche Lage, dass aa und a' sich decken, und ihre drei Träger G, L und G' nicht in einer Ebene liegen. Nun befinden sich die beiden Punktreihen $abcd\ldots$ und $a\beta\gamma\delta$ nach 5 in perspectivischer Lage, und es müssen sich daher $b\beta$, $c\gamma$, $d\delta$ u. s. w. in einem einzigen Punkte o schneiden. Ebenso befinden sich auch $a\beta\gamma\delta\ldots$ und $a'b'c'd'\ldots$ in perspectivischer Lage, daher müssen sich auch $\beta b'$, $\gamma c'$, $\delta d'$ u. s. w. in einem Punkte o' schneiden. oo' schneidet die Ebene der Träger GG' in p. Je drei zusammengehörige Punkte wie $b\beta b'$, $c\gamma c'$, $d\delta d'$ bestimmen eine Ebene, jede dieser Ebenen enthält oo', daher auch p. Die Spuren dieser Ebenen auf der Ebene GG', das sind die Geraden bb', cc', dd' u. s. w. müssen daher durch p gehen, es befinden sich also $abcd$.. und $a'b'c'd'$.... in perspectivischer Lage und sind demnach auch projectivisch.

10. **Strahlenbüschel, welche projectivische Punktreihen projicieren, werden projectivisch genannt.** Dabei sind jene Strahlen homolog, welche einander entsprechende Punkte projicieren. So sind z. B. in Fig. 2 die Strahlenbüschel $o(abcd$..) und $o'(a'b'c'd'$..) projectivisch, weil $abcd$.. $(\overline{\wedge})$ $a'b'c'd'$, und man schreibt $o(abcd$..) $\overline{\wedge}$ $o'(a'b'c'd'$..).

Projectivische Strahlenbüschel werden von geraden Linien in projectivischen Punktreihen geschnitten.

Beweis. Es sei $o(abcd$..) $\overline{\wedge}$ $o'(a'b'c'd')$, und es werde das Strahlenbüschel o von einer Geraden in der Punktreihe $\alpha\beta\gamma\delta$... geschnitten. Dann ist $abcd$.. $\overline{\wedge}$ $\alpha\beta\gamma\delta$.., weil perspectivisch und nach 9)... $\alpha\beta\gamma\delta$.. $\overline{\wedge}$ $a'b'c'd'$.. 1). Ferner werde das Strahlenbüschel $o'(a'b'c'd'$..) von einer Geraden in der Punktreihe $\alpha'\beta'\gamma'\delta'$.. geschnitten und man hat zu zeigen, dass $\alpha\beta\gamma\delta$.. $\overline{\wedge}$ $\alpha'\beta'\gamma'\delta'$...

Es ist $a'b'c'd'$.. $(\overline{\wedge})$ $\alpha'\beta'\gamma'\delta'$.., daher mittelst 1) und 9)... $\alpha\beta\gamma\delta$.. $\overline{\wedge}$ $\alpha'\beta'\gamma'\delta'$...

Projectivische Strahlenbüschel sind durch drei Paar homologe Strahlen vollkommen bestimmt, denn schneidet man dieselben mit zwei geraden Linien, so entstehen auf diesen nach ebengezeigtem projectivische Punktreihen, von denen drei Paar entsprechende Punkte gegeben sind. Da durch die letzteren die beiden projectivischen Punktreihen bestimmt sind, so sind es auch die Strahlenbüschel, die sie projicieren.

11. **Bringt man zwei projectivische Strahlenbüschel in derselben Ebene in eine solche Lage, dass zwei homologe Strahlen sich decken, so sind sie perspectivisch.**

Figur 3.

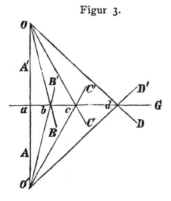

In Fig. 3 liegen die projectivischen Strahlenbüschel $O(ABCD$..) und $O'(A'B'C'D')$ so, dass die beiden homologen Strahlen OA und $O'A'$ einander decken. Die homologen Strahlen B und B' schneiden sich in b, C und C' in c, die Gerade G schneidet beide Strahlenbüschel in projectivischen Punktreihen, da diese aber in den drei Punkten abc übereinstimmen, so sind sie nach 8) congruent, und alle übrigen homologen Punkte decken sich, d. h. je zwei homologe Strahlen D und D' schneiden sich in d auf G, und die Strahlenbüschel befinden sich in perspectivischer Lage.

Die Gerade G wird die *Achse der Perspectivität* genannt.

12. **Congruente Strahlenbüschel.** Man kann sich leicht ein Strahlenbüschel noch einmal denken, entstanden durch Verschiebung in der Ebene oder durch Heraushebung des gegebenen aus derselben. Hiebei werden je zwei Strahlen als homolog bezeichnet, die gegenseitig aus einander hervorgehen, und es ist klar, dass zwei Strahlen in dem einen Büschel denselben Winkel einschliessen, wie ihre homologen im zweiten. Da man beide Strahlenbüschel wieder zur Deckung bringen kann, so heissen sie *congruent*.

Congruente Strahlenbüschel sind projectivisch.

Beweis. Man bringe die beiden congruenten Strahlenbüschel $O(ABCD..)$ und $O'(A'B'C'D'..)$ Fig. 3 (bei denen also z. B. $\sphericalangle AOC = A'O'C'$) in eine solche Lage, dass zwei homologe Strahlen, z. B. OA und $O'A'$, einander decken. Dann schneiden sich die homologen Strahlen BB', CC', DD' u. s. w. f. in den Punkten $b, c, d ..$, welche die Spitzen von gleichschenkeligen Dreiecken sind mit der gemeinschaftlichen Grundlinie OO'. Sie müssen daher in einer Geraden G liegen, welche OO' in a halbirt und auf ihr senkrecht steht. Die beiden Strahlenbüschel befinden sich daher in perspectivischer Lage und sind demnach projectivisch.

Die beiden Strahlenbüschel O und O' in Fig. 3 werden *ungleichstimmig congruent* genannt, denn denkt man sich beide durch Drehung der Strahlen A und A' um O beziehungsweise O' herum erzeugt, so erfolgt beim Büschel O' die Drehung im Sinne des Uhrzeigers, bei O in entgegengesetzter Richtung.

Figur 4.

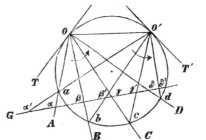

Dagegen sind Fig. 4 die beiden Strahlenbüschel

$o(ABCD..)$ und $o'(abcd..)$ *gleichstimmig congruent*, denn hier erfolgt die Erzeugung durch Drehung der Strahlen oa beziehungsweise $o'a$ in demselben Sinne.

Die homologen Strahlen zweier gleichstimmig congruenter Büschel schneiden sich in den Punkten eines Kreises,

welcher durch die Träger derselben hindurch geht, oder das
Erzeugnis zweier gleichstimmig congruenter Büschel ist ein
Kreis.

Beweis. Es seien Fig. 4 $o(abcd.,)$ und $o'(abcd..)$ zwei
Strahlenbüschel von der Beschaffenheit, dass $\sphericalangle aob = ao'b$,
$aoc = ao'c$ u. s. w. Durch die vier Punkte $oo'ab$ lässt sich
der gleichen Winkel wegen ein Kreis legen, ebenso durch
$oo'ac$, beide Kreise fallen aber in einen einzigen zusammen,
da sie in drei Punkten $oo'a$ übereinstimmen.

Sind in zwei projectivischen Strahlenbüscheln die von
drei homologen Strahlen gebildeten Winkel untereinander
paarweise gleich, so sind die Strahlenbüschel congruent.
Beweis. Es seien in Fig. 3 in den projectivischen Strahlenbüscheln $O(ABCD..)$ und $O'(A'B'C'D'.,)$ die Winkel gleich:
AOB und $A'O'B'$, AOC und $A'O'C$, BOC und $B'O'C'$, so ist zu
zeigen, dass auch $\sphericalangle AOD = A'O'D'$ ist.

Man bringe die beiden Strahlenbüschel in perspectivische
Lage, indem man OA mit $O'A'$ zur Deckung bringt. Die homologen Strahlen schneiden sich hierauf auf einer Geraden G.
Der gleichen Winkel wegen sind jedoch die Dreiecke ObO'
und OcO' gleichschenkelig, es muss daher G die Strecke OO'
in a halbiren und auf derselben senkrecht stehen; daher ist
auch das Dreieck OdO' gleichschenkelig, und $\sphericalangle AOD = A'O'D'$.

Daraus folgt auch, dass zwei Strahlenbüschel, deren
Strahlen parallel sind, oder aufeinander senkrecht stehen,
projectivisch sind.

§ 3. Die Vervollständigung projectivischer Punktreihen und Strahlenbüschel.

13. Zwei projectivische Punktreihen sind Fig 5 durch
drei Paar homologe Elemente aa', bb' und cc' gegeben; man
bestimme zu einem beliebigen Punkte x den homologen x'.

Man projiciere von a aus die Punktreihe $a'b'c'..x'$, von a'
aus jene $abc..x$, wodurch man zwei projectivische Strahlenbüschel in perspectivischer Lage erhält, da sich in aa' homologe Strahlen decken. $\beta\gamma$, wobei β der Schnittpunkt von ab'
mit $a'b$ und γ jener von ac' mit $a'c$ ist, bildet hier die Achse
der Perspectivität, welche man die *Vervollständigungsachse*
oder *Directionsachse* nennt. Schneidet nun $a'x$ die Vervollständigungsachse in ξ, so liegt x' im Schnittpunkte von G'
mit $a\xi$.

Bezeichnet man den Schnittpunkt der beiden Träger G und G' mit m' und rechnet ihn zur gestrichelten Punktreihe, so ist sein homologer m

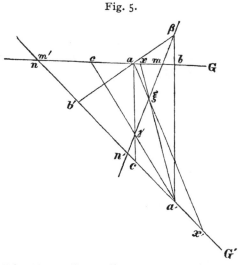

Fig. 5.

der Schnittpunkt der Vervollständigungs-achse mit G. Rechnet man ihn dagegen zur ungestrichelten Punkt-reihe, indem man ihn mit n bezeichnet, so ist n' der Schnittpunkt der Vervollständigungs-achse mit G'. Da die Punkte m und n' immer dieselben bleiben, man mag welches Punkte-paar $a\,a'$, $b\,b'$ u. s. w. immer zur Projection be-nützen, so folgt daraus: **Die Vervollständigungsachse ist un-veränderlich.**

14. Es dürfte schon an dieser Stelle zweckmässig sein, auf das Princip der *Reciprocität* oder *Dualität* aufmerksam zu machen, welches sich bereits in den allerersten Anfängen der Geometrie aufstellen lässt.

Eine Figur heisst in Bezug auf eine andere *reciprok,* wenn sie aus der letzteren dadurch entsteht, dass an die Stelle von Punkten Gerade, und an die Stelle von Verbindungslinien Schnittpunkte und umgekehrt treten. So ist z. B. die Ver-bindungslinie G der beiden Punkte a und b reciprok zum Schnittpunkte g der beiden Geraden A und B, ferner das Strahlenbüschel reciprok zur Punktreihe, das Projicieren einer Punktreihe von einem Punkte aus reciprok dem Schneiden eines Strahlenbüschels mit einer Geraden.

Eine Eigenschaft, ein Satz oder eine Aufgabe heisst zu einer Eigenschaft, einem Satze oder einer Aufgabe *reciprok* oder *dual,* wenn die Voraussetzung der (des) ersten reciprok ist zu jener (jenem) der (des) zweiten, und ebenso, wenn die Behauptung der (des) ersten reciprok ist zu jener (jenem) der (des) letzteren. So ist z. B. die Eigenschaft, dass eine Gerade G durch den Schnittpunkt s zweier Geraden A und B hin-durchgeht, reciprok zu jener, dass ein Punkt g in der Ver-bindungslinie S zweier Punkte a und b gelegen ist. So ist ferner zur Aufgabe: „Zwei projectivische Punktreihen sind zu vervollständigen" die reciproke:

15. Zwei projectivische Strahlenbüschel, durch drei Paar homologe Elemente gegeben, sind zu vervollständigen.

Hat man zu einer Aufgabe die Lösung gefunden, so findet man jene der reciproken Aufgabe, wenn man zur Lösung der ersten die reciproke Figur sucht. Dass dies allgemein giltig ist, wird später gezeigt werden. Hier muss die Richtigkeit der so gefundenen Lösung noch für sich bewiesen werden.

In der vorhergehenden Aufgabe 13 wurden die beiden projectivischen Punktreihen von einem Paar homologer Punkte aa' aus projiciert. Hier muss man daher (Fig. 6) die beiden projectivischen Strahlenbüschel $O(ABC..)$ und $O'(A'B'C'..)$ mit den beiden homologen Strahlen OA und $O'A'$ schneiden, wodurch man die beiden projectivischen Punktreihen $\alpha\beta\gamma..$ und

Fig. 6.

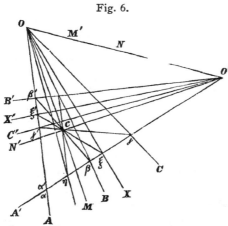

$\alpha'\beta'\gamma'..$ erhält, die sich in perspectivischer Lage befinden, da im Schnittpunkte von A und A' sich homologe Punkte decken. Das Centrum der Perspectivität c, hier *Vervollständigungs* oder *Directionscentrum* genannt, ist durch den Schnitt von $\beta\beta'$ mit $\gamma\gamma'$ bestimmt. Der Strahl X schneidet A' in ξ, ξc den Strahl A in ξ', und ξ' mit O' verbunden giebt den gesuchten Strahl X'.

Bezeichnet man OO' mit N, so ist $O'C$ der homologe Strahl N'. Ebenso ist OC der homologe Strahl M zu OO' mit M' bezeichnet. Da M und N' immer dieselben bleiben, welches Strahlenpaar AA' man auch zum Schneiden benützt hat, so folgt daraus: **Das Vervollständigungscentrum ist unveränderlich.**

Zur Uebung. a) Man vervollständige zwei ähnliche projectivische Punktreihen, b) ein Parallelstrahlenbüschel mit einem gewöhnlichen, c) zwei Parallelstrahlenbüschel.

§ 4. Die Doppelelemente conlocaler Punktreihen und concentrischer Strahlenbüschel.

16. Zwei zusammenfallende homologe Punkte zweier conlocaler projectivischer Punktreihen nennt man einen *Doppelpunkt*.

Zwei conlocale projectivische Punktreihen können höchstens *zwei Doppelpunkte* haben, denn hätten sie deren drei, so müssten sie nach 8 in allen Punkten sich decken.

Haben zwei conlocale projectivische Punktreihen einen Doppelpunkt gemein, so müssen sie auch noch einen zweiten besitzen, der unter Umständen auch mit dem ersten zusammenfallen kann.

Beweis. Auf dem Träger G (Fig. 7) sind zwei projectivische Punktreihen durch zwei Paar homologe Punkte $a a'$, $b b'$ und den Doppelpunkt d_1 gegeben. Man kann sich denken, dass der Träger G' der zweiten Punktreihe $a' b' d_1$ mit G zusammenliegt, und nun drehe man G' um d_1 um einen beliebigen Winkel, so dass G' in die Lage (G') kommt. Dann fällt a' nach (a') und b' nach (b').

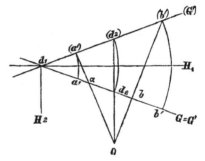

Fig. 7.

Die beiden projectivischen Punktreihen $a b d_1$ und $(a')(b')d_1$ befinden sich in perspectivischer Lage, und der Schnittpunkt O von $a(a')$ und $b(b')$ ist das Centrum der Perspectivität. Es sei nun H_1 die Halbierungslinie des Winkels, um welchen gedreht wurde, H_2 jene seines Nebenwinkels. Fällt man von O aus eine Senkrechte auf H_1, so schneidet diese (G') und G in den homologen Punkten $(d_2)d_2$, welche nach der Zurückdrehung von (G') auf G zusammenfallen und daher den zweiten Doppelpunkt liefern. Liegt O in H_2, so fallen d_2 und (d_2) mit d_1 zusammen, und man sagt, es giebt zwei zusammenfallende Doppelpunkte.

17. Zwei zusammenfallende homologe Strahlen zweier concentrischer projectivischer Strahlenbüschel nennt man einen *Doppelstrahl*.

Zwei concentrische projectivische Strahlenbüschel können höchstens *zwei Doppelstrahlen* gemein haben, denn hätten sie deren drei, so müssten sie sich in allen Strahlen decken.

Haben zwei concentrische projectivische Strahlenbüschel einen Doppelstrahl gemein, so müssen sie auch noch einen zweiten besitzen, der unter Umständen auch mit dem ersten zusammenfallen kann.

Beweis. Man schneide beide Strahlenbüschel mit einer Geraden, so erhält man zwei conlocale projectivische Punktreihen, welche in dem Schnittpunkte der Geraden mit dem Doppelstrahl bereits einen Doppelpunkt besitzen, daher nach 16 noch einen zweiten besitzen müssen, durch welchen der zweite Doppelstrahl der Büschel hindurchgeht.

Anmerkung. In Fig. 7 liegt bereits eine Methode zur Vervollständigung conlocaler projectivischer Punktreihen vor, welche jedoch den wiederholten Gebrauch des Zirkels voraussetzt. Später soll eine einfachere Methode gezeigt werden, welche nur den einmaligen Gebrauch des Zirkels voraussetzt und auch für concentrische projectivische Strahlenbüschel giltig ist.

§ 5. Metrische Beziehung projectivischer Punktreihen, Continuität derselben.

18. In Fig. 8 befinden sich zwei projectivische Punktreihen, deren Träger mit G und G' bezeichnet sind, in perspectivischer Lage, da ein Paar homologe Punkte aa' sich decken. Es sei o das Centrum der Perspectivität.

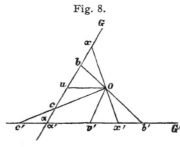

Fig. 8.

Zieht man durch o eine Parallele zu G', welche G in u schneidet, so ist u der homologe Punkt des unendlich fernen Punktes von G'. Ebenso entspricht v' dem unendlich fernen Punkte von G, wenn $ov' \parallel G$. u und v' heissen die *Gegenpunkte* der projectivischen Punktreihen.

Sind x und x' irgend ein Paar homologe Punkte, so ist das **Product** $ux \cdot v'x'$ constant.

Beweis. $\triangle uxo \backsim v'ox'$, daher $ux : uo = v'o : v'x'$ und $ux \cdot v'x' = uo \cdot ov'$, wobei uo und ov' sich mit den Punkten x und x' nicht ändern.

Eine zweite wichtige aus Fig. 8 ersichtliche Eigenschaft projectivischer Punktreihen ist die der *Continuität*. Durchläuft x die Punktreihe auf G über bu und c nach a continuirlich, so bewegt sich x' auf G' stetig über b', den unendlich fernen Punkt von G' und c' nach a'.

§ 6. Die Punkt- und Strahleninvolutionen.

19. Fallen bei zwei conlocalen projectivischen Punktreihen die Gegenpunkte u und v' zusammen, so entsprechen sich die homologen Elemente vertauschbar oder *involutorisch*, d. h. entspricht x' dem Punkte x, und rechnet man x', etwa mit y bezeichnet, zur ungestrichelten Punktreihe, so fällt y' mit x zusammen. Man sagt, **die beiden projectivischen Punktreihen befinden sich in** involutorischer Lage oder bilden eine *Punktinvolution.* Die zusammenfallenden Gegenpunkte werden mit i bezeichnet. i heisst der *Mittelpunkt* oder *Centralpunkt* der Involution.

Beweis. Es seien a und a' ein Paar homologe Punkte der projectivischen conlocalen Punktreihen, bei welchen u und v' zusammenfallen. Dann ist das Produkt $ia \cdot ia'$ unveränderlich, denn nach 18 ist $ua \cdot v'a'$ constant, und es fallen hier u und v' in i zusammen. Wird also die eine Punktreihe durch einen beweglichen Punkt x erzeugt und nähert sich derselbe i, so muss sein homologer x' sich von i entfernen, denn wird in dem constanten Produkte $ix \cdot ix'$ der eine Factor ix kleiner, so muss der andere ix' grösser werden.

Es kann zwei wesentlich verschiedene involutorische Lagen geben, nämlich 1) i liegt zwischen a und a', 2) i liegt ausserhalb der Strecke aa' (Fig. 9a und 9b).

Man nehme an, im ersten Falle (Fig. 9a) beginne der Punkt x seine Bewegung von i aus nach rechts. x' befindet sich beim Beginne derselben im Unendlichen. Bewegt sich x stetig, so muss sich auch x' nach 18 continuirlich bewegen. Da x sich a nähert, so muss sich auch $x' .. a'$ nähern, und zwar kann dies nur links von i erfolgen, denn befände sich x' rechts, so

Fig. 9a.

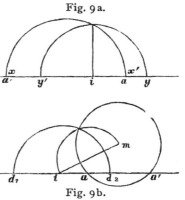

Fig. 9b.

müsste es, um nach a' continuirlich zu gelangen, i passiren, und da müsste x ins Unendliche fallen, was ausgeschlossen ist. Kommt nun x nach a, so befindet sich x' in a', und fällt endlich x ins Unendliche, so gelangt x' nach i. Daraus ersieht man, dass einem linken x' ein rechts gelegenes x entspricht. Befindet sich nun x links, so kann x' nur rechts liegen, denn angenommen x' läge links, so müsste ihm nach eben Gezeigtem ein rechtes x entsprechen, also hätte x' zwei homologe Punkte, was unmöglich ist. Daraus ersieht man, dass alle homologen Punktepaare im Falle 1) durch den Centralpunkt *getrennt* werden. Kommt nun x nach a', so muss x' mit a zusammenfallen, denn es ist $ix \cdot ix' = ia \cdot ia'$, oder da $ix = ia'$ auch $ix' = ia$. Da nun x' rechts von i liegen muss, so fällt es mit a zusammen, und die Punkte entsprechen sich involutorisch.

Im Falle 1) können nie homologe Punkte zusammenfallen, es giebt also keine Doppelpunkte und man sagt, es liegt eine **Punktinvolution mit imaginären Doppelpunkten** vor. Es giebt aber ein Paar homologe Punkte yy', deren Entfernung durch den Centralpunkt halbiert wird, daher auch sein Name. Man findet $iy = iy'$ als mittlere geometrische Proportionale zwischen ia und ia' (s. Fig. 9 a).

Bewegt sich im zweiten Falle (Fig. 9 b) x von i aus nach rechts, so muss sich auch x' rechts befinden, denn wenn x nach a kommt, müsste x' nach a' fallen, was, wenn x' sich links befinden würde, nur nach einem Durchgange durch i stattfinden könnte, wobei wiederum x ins Unendliche fallen müsste, was bei der Bewegung des x von i nach a ausgeschlossen ist. Erst wenn x über a ins Unendliche gelangt ist, kommt x' nach i und muss sich hierauf mit x gleichzeitig links befinden, denn hätte ein linkes x ein rechtes x', so hätte dieses wiederum nach eben Gezeigtem ein rechtes x, also ein x' hätte zwei x, was unmöglich ist. Also liegt in diesem Falle für alle homologen Punkte der Centralpunkt **ausserhalb der von ihnen begrenzten Strecke**. Kommt x nach a', so ist $ix \cdot ix' = ia \cdot ia'$, worin $ix = ia'$, daher auch $ix' = ia$, oder x' identisch mit a, da beide zu derselben Seite von i gelegen sind. Die Punktepaare entsprechen sich also auch hier involutorisch.

Da die Punkte x und x' sich zu derselben Seite von i befinden und gegeneinander bewegen, so müssen sie einmal zusammentreffen, sowohl rechts als auch links von i. Es wird also hier zwei Doppelpunkte geben. Bezeichnet man einen derselben mit d_1, so ist $\overline{id_1}^2 = ia \cdot ia'$, wonach id_1 und id_2 als mittlere geometrische Proportionalen in Fig. 9 b construirt wurden. Wie man sieht, liegt hier i in der Mitte zwischen den Doppelpunkten und man sagt, es ist eine **Involution mit reellen Doppelpunkten**.

Fallen die beiden Doppelpunkte zusammen, so erfolgt

dies in i. Dann fällt auch zu einem jeden beliebigen Punkte x der homologe nach i, denn das constante Produkt $ix.ix'$ hat hier den Wert null.

Da eine Punktinvolution aus zwei projectivischen Punktreihen besteht, so wird sie nach 7 vollkommen bestimmt sein:

1) durch zwei Paar homologe Elemente,
2) durch ein Paar homologe Elemente und den Centralpunkt,
3) durch den Centralpunkt und einen Doppelpunkt,
4) durch einen Doppelpunkt und ein Paar homologe Punkte,
5) durch beide Doppelpunkte.

20. Projiciert man von einem ausserhalb des Trägers gelegenen Punkte eine Punktinvolution, so erhält man zwei concentrische projectivische Strahlenbüschel, in welchen die Strahlenpaare einander vertauschbar entsprechen, und die man deshalb eine *Strahleninvolution* nennt. Hat die Punktinvolution reelle Doppelpunkte, so erhält man eine *Strahleninvolution mit reellen Doppelstrahlen*, sind die Doppelpunkte imaginär, eine *Strahleninvolution mit imaginären Doppelstrahlen*.

Eine nicht durch den Träger hindurchgehende Gerade schneidet die Strahleninvolution in einer Punktinvolution, denn nach 10 müssen zwei conlocale projectivische Punktreihen entstehen, in welchen sich die Punktepaare vertauschbar entsprechen.

Eine Strahleninvolution wird nach 10 gegeben sein:

1) durch zwei Paar homologe Strahlen,
2) durch die beiden Doppelstrahlen,
3) durch einen Doppelstrahl und ein Paar homologe Strahlen.

21. **Entsprechen sich in zwei concentrischen projectivischen Strahlenbüscheln ein Paar Strahlen vertauschbar, so bilden sie eine Strahleninvolution.**

Beweis. In Fig. 10 sind zwei conlocale projectivische Strahlenbüschel durch die einander vertauschbar entsprechenden Strahlen AA', die man demnach auch mit B' und B bezeichnen kann, und das Strahlenpaar CC' gegeben. Dieselben werden von einer zu A parallelen Geraden G nach 10 in zwei conlocalen projectivischen Punktreihen geschnitten, bei welchen sich die Gegenpunkte u und v' in i decken, da sowohl B' als auch A parallel zu G ist. Die Punktreihen bilden

Figur 10.

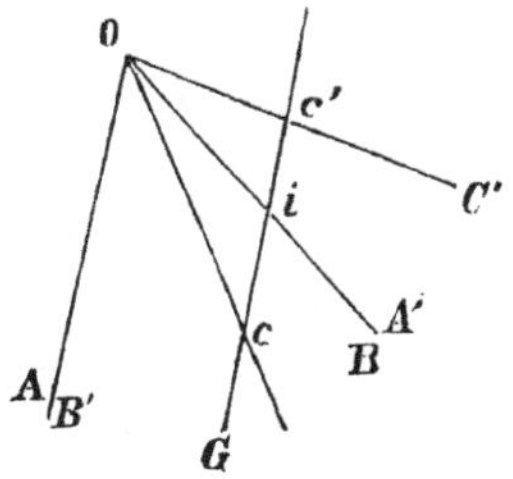

daher nach 19 eine Punktinvolution und nach 20 die sie pro-
jicierenden Büschel eine Strahleninvolution.

**Entspricht sich in zwei conlocalen projectivischen Punkt-
reihen ein Punktepaar vertauschbar, so ist eine Punktinvolution vorhanden.**

Beweis. Projiciert man beide Punktreihen von einem
Punkte, der ausserhalb ihres Trägers liegt, so erhält man zwei
concentrische projectivische Strahlenbüschel, die eine Strahleninvolution bilden, da ein Paar Strahlen einander vertauschbar
entsprechen. Der Schnitt dieser Strahleninvolution mit dem
Träger ist daher eine Punktinvolution.

22. **Sind** abc **und** d **vier Punkte einer Geraden, so ist**
$abcd \,\overline{\wedge}\, badc$.

Beweis. Betrachtet man ab und c als Elemente einer
Punktreihe und ordnet diesen bad als homologe Punkte einer
zweiten zu, so sind dadurch nach 7 zwei projectivische Punktreihen bestimmt, welche, da a und b einander vertauschbar
entsprechen, nach 21 eine Punktinvolution bilden, daher auch
c und d einander involutorisch entsprechen.

23. **Harmonische Punkte und Strahlen.** Hat eine Involution wie jene Fig. 9b reelle Doppelpunkte, so trennen die
letzteren ein jedes Paar homologer Punkte von einander, und
zwar wie man sagt *harmonisch*. Die Trennung folgt aus der
Beziehung $\overline{id}_1^2 = \overline{id}_2^2 = ia . ia'$.

Die beiden Doppelpunkte $d_1 d_2$ und das Punktepaar $a a'$
werden *vier harmonische Punkte* genannt, und es sind dabei
$d' d_2$ und $a' a$ einander zugeordnet. Auch sagt man: a' ist
der vierte harmonische Punkt zu a **in Bezug auf** $d' d_2$.

Zwischen vier harmonischen Punkten besteht die Be-
ziehung: $d_1 d_2 \, a a' \,\overline{\wedge}\, d_1 d_2 \, a, a.$
Nach 22 ist aber $d_1 d_2 \, a' a \,\overline{\wedge}\, d_2 d_1 \, a a',$
daher nach 9: $d_1 d_2 \, a a' \,\overline{\wedge}\, d_2 d_1 \, a a',$
wobei nun $a a'$ als Doppelpunkte erscheinen. Es ist also bei
vier harmonischen Punkten *einerlei, welches von den beiden
zusammengehörigen Punktepaaren man als die Doppelpunkte
der Involution betrachtet.*

Auch ist sogleich klar, dass die Endpunkte einer Strecke,
ihr Mittelpunkt und der unendlich ferne Punkt der Geraden
vier harmonische Punkte sind.

Projiciert man vier harmonische Punkte von einem ausserhalb ihres Trägers gelegenen Punkte, so erhält man *vier*

harmonische Strahlen, die von einer jeden nicht durch den Träger gehenden Geraden in vier harmonischen Punkten geschnitten werden.

24) **Das vollständige Viereck und Vierseit.** Vier Punkte *a b c* und *d* (Fig. 11), von denen nicht mehr als zwei in einer Geraden liegen, bestimmen eine Figur, welche das *vollständige Viereck* genannt wird. Die vier Punkte heissen die *Eckpunkte* desselben. Sie bestim-

men 6 gerade Linien, nämlich: *a b, a c, a d, b c, b d* und *c d,* welche die *Seiten* des vollständigen Viereckes genannt werden. *Gegenüberliegende Seiten* heissen je zwei derselben, welche nicht durch denselben Eck-punkt gehen. Es gibt

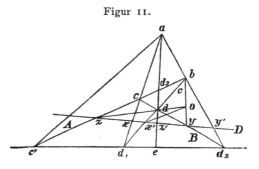

Figur 11.

deren drei Paar, nämlich: *a b* und *c d, a c* und *b d, a d* und *b c.* Je zwei gegenüberliegende Seiten schneiden sich im *Diagonal-punkte,* deren es drei giebt, nämlich: d_1, d_2 und d_3, und die das sogenannte *Diagonaldreieck* bilden.

Die reciproke Figur (siehe 14) zum vollständigen Vierecke ist das *vollständige Vierseit.* Dasselbe wird Figur 11 von den vier Geraden *A, B, C* und *D* gebildet, von denen nicht mehr als zwei durch einen Punkt hindurchgehen. Die vier Geraden durchschneiden sich in 6 Punkten, *b, c, d, x', y* und *z,* welche *Eckpunkte* genannt werden, und von welchen je zwei, die nicht in derselben Geraden liegen, als *gegenüberliegende Eckpunkte* bezeichnet werden. Es gibt deren drei Paar, nämlich: *c x', b y* und *z d,* welche die drei *Diagonalen* des Vierseites bestimmen, von denen wiederum das *Diagonaldreieck* eingeschlossen wird.

25) **Der Satz des Desargues.** **Die gegenüberliegenden Seiten eines vollständigen Viereckes werden von einer Geraden nach einer Punktinvolution geschnitten.**

Beweis. In Figur 11 ist d $(z\, c\, d_3\, b)$ $(\overline{\wedge})$ a $(z\, c\, d_3\, b)$ ... 1) Schneidet man beide Strahlenbüschel mit der Geraden D, so ist $z y z' x' \overline{\wedge} z x z' y'$ und nach 22 ... $z' y' z x \overline{\wedge} z x z' y'$, daher nach 9 mittelst 1) $z y z' x' \overline{\wedge} z' y' z x$, in welchen projectivischen Punkt-reihen das Elementenpaar $z z'$ sich vertauschbar entspricht, daher nach 21 eine Punktinvolution gebildet wird.

Geht die Gerade D durch zwei Diagonalpunkte, z. B.

$d_1 d_2$, so fallen in diesen x mit x' und y mit y' zusammen, und es sind demnach $d_1 d_2$ die Doppelpunkte der auftretenden Involution, in welcher $e\,e'$ ein homologes Paar ist, oder $d_1 d_2 e\,e'$ sind vier harmonische Punkte.

Der reciproke Satz zu jenem des Desargues lautet: „Die gegenüberliegenden Ecken eines vollständigen Vierseites werden von einem Punkte aus in einer Strahleninvolution projiciert."

Beweis. Das Strahlenbüschel $a\,(c\,x'\,b\,y\,d\,z)$ Fig. 11 bildet eine Involution, denn es projiciert die Punktinvolution $x\,x'y'y\,z'z$.

Fällt der Punkt a nach O in den Schnittpunkt zweier Diagonalen $z\,d$ und $b\,y$, so werden die letzteren die Doppelstrahlen in der Involution, oder $O\,(b\,c\,z\,x')$ sind vier harmonische Strahlen.

26. Anwendung des vollständigen Viereckes zur Vervollständigung von Involutionen mittelst eines Lineals allein.

a) eine Punktinvolution sei Fig. 11, durch zwei Paar homologe Punkte $x\,x'$ und $y\,y'$ gegeben; man suche zu z den homologen Punkt.

Man zeichne durch z eine beliebige Gerade A, nehme auf derselben einen beliebigen Punkt c an, und projicire von diesem zwei nicht zu demselben Paare gehörige gegebene Punkte, z. B. x und y. Hierauf nehme man b in derselben Geraden an und projicire x' und y' von b. Von den so erhaltenen vier Strahlen bringe man je zwei zum Schnitt, die nicht durch homologe Punkte gehen, also $c\,x$ und $b\,y'$ in a, $c\,y$ und $b\,x'$ in d. $a\,d$ geht hierauf durch den verlangten Punkt z', denn es ist die gegenüberliegende Seite zu $b\,z$ in dem vollständigen Vierecke $a\,b\,d\,c$.

b) Man bestimme, wenn die Involution durch zwei Paar homologe Punkte gegeben ist, den Centralpunkt. Da fällt der Punkt z ins Unendliche, die beliebig durch z gezogene Gerade wird parallel zum Träger der Involution, sonst bleibt die Construction dieselbe.

Weitere Aufgaben ergeben sich, wenn man statt eines homologen Punktepaares den Centralpunkt oder einen Doppelpunkt auftreten lässt, darunter auch:

c) Zum Punkte e soll in Bezug auf $d_1 d_2$ (Figur 11) der vierte harmonische Punkt bestimmt werden. Man ziehe durch e eine beliebige Gerade, nehme in dieser die Punkte d und a willkürlich an, projicire von denselben d_1 und d_2, und bringe

die so erhaltenen vier Strahlen noch in *b* und *c* zum Schnitt.
Die Verbindungslinie
der letzteren geht hier-
auf durch den harmo-
nischen Punkt *e'*. Die
Richtigkeit der Con-
struction folgt aus dem
vollständigen Vierecke
a b c d.

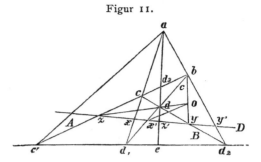

Figur 11.

d) Zu einem Strahle
a e Fig. 11 soll in Bezug
auf die Strahlen *a x* und
a y' der vierte harmonische Strahl gezeichnet werden.

Man nehme auf *a e* einen beliebigen Punkt *d* an, und
ziehe durch diesen zwei gerade Linien, welche *a x* in *c* und
d_1 und *a y*$_1$ in *b* und d_2 schneiden. Die Verbindungslinien *b c*
und $d_1 d_2$ schneiden sich hierauf in *e'*, und es ist *a e'* der verlangte vierte harmonische Strahl, denn aus dem vollständigen
Vierecke *a b c d* folgt, dass *e'd*$_1$ *e d*$_2$ vier harmonische Punkte sind.

Anmerkung. Mittelst des Zirkels kann man den vierten harmonischen Strahl wie folgt construieren. Man ziehe Figur 10 zu dem
Strahle *A*, zu dem man in Bezug auf *C C'* den vierten harmonischen
Strahl bestimmen soll, durch den beliebig auf *C* angenommenen Punkt
c eine Parallele *G*, welche *C'* in *c'* schneidet. Hierauf halbiere man
c c' in *i*, so ist *O i* der verlangte vierte harmonische Strahl (folgt
aus 23).

e) **Fortgesetzte Theilung einer Strecke ohne Benützung
des Zirkels** nach Steiner. Fig. 12. Man nehme ausserhalb der zu
theilenden Strecke *a b* = 1 einen Punkt *o* an und verbinde denselben
mit *a* und *b*, wodurch man das Dreieck *a b o*
erhält. In diesem ziehe man *c d* parallel *a b*,
ferner im Trapeze *a b d c* die Diagonalen *a d*
und *b c*, die sich in *e* schneiden. Endlich
geht *o e* durch die Mitte *m* von *a b*.

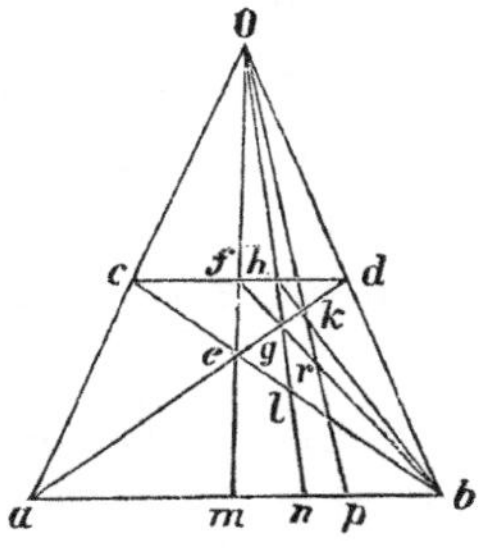

Beweis. Des vollständigen Vierecks *o c e d*
wegen sind *a*, *m*, *b* und der unendlich ferne
Punkt vier harmonische Punkte, daher nach
23. *m* die Mitte von *a b*.

Verbindet man *f* mit *b*, so schneidet
diese Gerade die Diagonale *a d* in *g*, und
der Strahl *o g* die Strecke *a b* in *n*, und es
ist $b n = \frac{1}{3} a b = \frac{1}{3}$·

Figur 12.

Beweis. *o f g d* ist ein vollständiges Viereck, folglich *c e l b* vier
harmonische Punkte. Werden diese von *o* aus auf *a b* projiciert, so
entstehen die vier harmonischen Punkte *a m n b*, bei welchen man nach

2*

23. m und b als die Doppelpunkte der Involution betrachten kann. Ist i der Centralpunkt der letzteren, für welchen also $im = ib$ und nach 23 $\overline{im}^2 = ia \cdot in$ ist, so folgt:

$$ia : im = im : in \text{ oder}$$
$$(ia - im) : (ia + im) = (im - in) : (im + in)$$
$$am : ab = mn : nb^*)$$

Mit Rücksicht auf das Vorhergehende kann die Proportion auch so geschrieben werden:

$$\frac{1}{2} : 1 = mn : nb \text{ oder}$$

$$\frac{3}{2} : 1 = \frac{1}{2} : nb, \text{ woraus folgt } nb = \frac{1}{3}.$$

Ferner schneidet in Fig. 12 hb die Diagonale ad in k, und ok die Strecke ab in p, und es ist $bp = \frac{1}{4} ab = \frac{1}{4}.$

B e w e i s. $ohkd$ ist ein vollständiges Viereck, daher $fgrb$ vier harmonische Punkte. Diese von o auf ab projiciert geben die vier harmonischen Punkte $mnpb$, für welche nach vorhergehendem die Proportion besteht:

$$mn : mb = np : pb$$
$$\left(\frac{1}{2} - \frac{1}{3}\right) : \frac{1}{2} = np : pb$$
$$\frac{1}{6} : \frac{1}{2} = np : pb$$
$$\frac{4}{3} : 1 = \frac{1}{3} : pb \text{ woraus folgt:}$$
$$pb = \frac{1}{4}.$$

Durch weitere Fortsetzung der nämlichen Konstruktion könnte man $\frac{1}{5}, \frac{1}{6}, \frac{1}{7} \cdots$ von ab erhalten.

§ 7. Das Erzeugnis projectivischer Punktreihen und Strahlenbüschel.

27. **Das Erzeugnis zweier projectivischer Strahlenbüschel ist eine Curve zweiter Ordnung, welche durch die Träger derselben hindurch geht, und in denselben jene Strahlen zu Tangenten hat, welche ihrer Verbindungslinie, abwechselnd zu dem einen und dem anderen Büschel gerechnet, entsprechen.**

---

*) Diese Proportion, welche für alle harmonischen Punkte gilt, führt durch Einführung von Strecken mit verschiedenen Vorzeichen, je nach dem Sinne, in welchem der erzeugende Punkt die Strecke durchläuft, zu der Gleichung: $\frac{am}{ab} = -\frac{nm}{nb}$, welche sich von der Proportion nur dadurch unterscheidet, dass an die Stelle von $mn \ldots -nm$ gesetzt wurde, und zur Erklärung harmonischer Punkte dient, wenn das Theilungsverhältnis zur Begründung der projectivischen Geometrie benützt wird.

Beweis. Man denke sich in Figur 4 unter den gleichstimmig congruenten Büscheln $O(ABCD..)$ und $O'(abcd..)$
irgend zwei projectivische Strahlenbüschel. Die homologen
Strahlen schneiden sich in $a, b, c, d..$, diese Punkte liegen
auf einer Curve, von der zunächst
zu zeigen ist, dass sie durch O
und O' hindurchgeht. Rechnet
man OO' zum gestrichelten
Büschel, so wird diesem Strahle
im ungestrichelten Büschel T
entsprechen. OO' schneidet T
in O, daher gehört auch O dem
Erzeugnis an. Ebenso zeigt
man, dass O' auf der Curve
liegt, indem man OO' zum ungestrichelten Büschel rechnet,
worauf diesem Strahle T' im
gestrichelten Büschel entspricht.

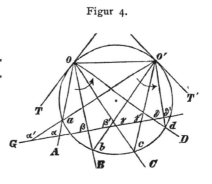

Figur 4.

Jeder durch O gezogene Strahl, z. B. OA schneidet die
Curve noch einmal in a, nur der Strahl T nicht, für welchen
die beiden Schnittpunkte in O zusammenfallen. T ist daher
die Tangente in O an die Curve. Ebenso zeigt man, dass T'
die Tangente in O' ist.

Schneidet man beide Strahlenbüschel mit der Geraden G,
so erhält man die projectivischen Punktreihen $\alpha\beta\gamma\delta \ldots$ und
$\alpha'\beta'\gamma'\delta' \ldots$ Haben diese Doppelpunkte, so sind das Punkte der
Curve, und da es nach 16 nicht mehr als zwei Doppelpunkte
geben kann, so schneidet die Gerade G die Curve höchstens
in zwei Punkten, also ist die letztere von zweiter Ordnung.

28. **Die Verbindungslinien homologer Punkte zweier projectivischer Punktreihen hüllen eine Curve zweiter Classe ein.
Die Träger der Punktreihen sind ebenfalls Tangenten der
Curve, und ihre Berührungspunkte sind die homologen Punkte
zum Schnittpunkt der Träger, je nachdem man denselben
zu der einen oder anderen Punktreihe rechnet.**

Beweis. In Figur 5 befinden sich auf den Trägern G
und G' die projectivischen Punktreihen $abc..$ und $a'b'c' \ldots$
Die Verbindungslinien homologer Punkte z. B. aa', bb' werden
eine Curve einhüllen, von der zunächst zu zeigen ist, dass G
und G' auch Tangenten derselben sind. Bezeichnet man
(siehe 13) den Schnittpunkt von G und G' mit m', so entspricht

ihm in der ungestrichelten Punktreihe *m*, *m m'* d. i. aber *G*, ist

demnach auch eine Tangente der Curve. Ebenso zeigt man, indem man den Schnittpunkt mit *n* bezeichnet, dass *G'* eine Tangente ist.

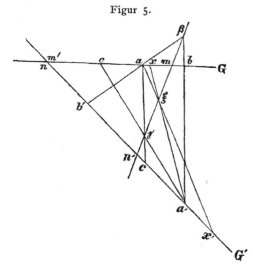

Figur 5.

Von jedem Punkte der Punktreihe auf *G* z. B. *a* gibt es zwei Tangenten an die Curve, nämlich *a a'* und *G*, nur von *m* aus gibt es eine einzige *G*, daher *m* ihr Berührungspunkt. Ebenso zeigt man, dass *n'* der Berührungspunkt von *G'* ist.

Projiciert man von irgend einem Punkte aus die beiden Punktreihen, so erhält man zwei conlocale, projectivische Strahlenbüschel. Haben dieselben Doppelstrahlen, so sind diese Tangenten an die Curve. Da es aber nach 17 nicht mehr als zwei Doppelstrahlen gibt, so ist die Curve von zweiter Classe.

Dieser Satz ist der reciproke (siehe 14) zu jenem 27.

§ 8. Von der Collineation.

29. **Herstellung einer Verwandtschaft in der Ebene zwischen zwei Figuren mittelst projectivischer Strahlenbüschel.** Man nehme in der Ebene zwei projectivische Strahlenbüschel mit den Trägern *a* und *a'* an, und ebenso zwei andere mit den Trägern *b* und *b'*. Jeder Punkt *p* in der Ebene bestimmt in den Büscheln *a* und *b*)* je einen Strahl, deren homologe in den Büscheln *a'* und *b'* sich in *p'* schneiden. Wie man sieht, ist auf diese Art einem Punkte *p* ein ganz bestimmter Punkt *p'* zugeordnet. *p* und *p'* werden zwei *homologe, einander entsprechende, zusammengehörige* oder auch *verwandte* Punkte genannt.

---

*) Im Folgenden werden, um an Kürze des Ausdruckes zu gewinnen, die Strahlenbüschel mitunter nach ihren Trägern benannt. So wird z. B. das Büschel *o (ABC . .)* kurz das Büschel *o* genannt.

Denkt man sich eine grössere Anzahl von Punkten p, so erhält man eine eben so grosse Anzahl Punkte p'. Die Gesammtheit der Punkte p wird das *ungestrichelte Punktsystem* oder kurz das *ungestrichelte System* genannt, die Gesammtheit der Punkte p' das *gestrichelte System*. Auch werden die Punkte p' die *verwandte Figur* zu, oder auch das *Bild* von den Punkten p genannt.

Angenommen der Punkt p durchlaufe eine Gerade G. Dann ist das Büschel $a \barwedge b$, weil perspectivisch. Es ist aber auch $a \barwedge a'$, daher nach 9. $b \barwedge a' \ldots$ 1.

Nun ist aber auch $b \barwedge b'$, daher mittelst 1. $a' \barwedge b'$. Diese Strahlenbüschel erzeugen aber die Punktreihe p', und diese liegt demnach nach 27. auf einer Curve zweiter Ordnung. **Die verwandte Figur zu einer Geraden ist also eine Curve zweiter Ordnung.**

Anmerkung. Mittelst zwei Paar projectivischen Punktreihen kann man eine geometrische Verwandtschaft herstellen, in welcher einer Geraden wieder eine Gerade, und einem Punkte eine Curve zweiter Classe entspricht. Uebung für den Anfänger.

30. **Allgemeine Collineation.** Die in 29. besprochene geometrische Verwandtschaft lässt sich so umgestalten, dass einer *Geraden wieder eine Gerade* entspricht, worauf dieselbe *projectivische* oder *collineare* Verwandtschaft genannt wird. Man ordne nur dem Strahle ab, zum Büschel a gerechnet, im Büschel a' die Verbindungslinie $a'b'$ zu, und dem Strahle ba, zum Büschel b gerechnet, in jenem $b' \ldots b'a'$ zu. Dann decken sich in den beiden projectivischen Büscheln a' und b' ein Paar homologe Strahlen, nämlich $a'b'$ zu a' und $b'a'$ zu b' gerechnet. Beide Strahlenbüschel befinden sich in perspectivischer Lage, und die homologen Strahlen schneiden sich in p' auf einer Geraden.

Anmerkung. Der Anfänger ändere die in 29. (Anm.) angedeutete Verwandtschaft dahin, dass einem Punkte statt einer Curve zweiter Classe wieder ein Punkt entspricht.

§ 9. Eigenschaften der allgemeinen Collineation.

31. **Die collineare Figur einer geraden Punktreihe ist eine zu ihr projectivische Punktreihe.**

Beweis. Nach 30. entspricht einer geraden Punktreihe p wieder eine gerade Punktreihe p'. Da jedoch das Strahlenbüschel $a(p\,..) \barwedge a'(p'\,..)$, so sind es auch die Punktreihen p und p'.

Anmerkung. Da eine Gerade durch zwei Punkte vollkommen bestimmt ist, so wird man das collineare Bild derselben am einfachsten dadurch erhalten, dass man zu zwei Punkten derselben die homologen Punkte sucht und untereinander verbindet.

Die collineare Figur eines Strahlenbüschels ist ein projectivisches Strahlenbüschel.

Beweis. Man schneide das Büschel $p(MNO..)$ mit einer Geraden, wodurch man die Punktreihe $mno..$ erhält. Zu den Punkten $p, m, n, o..$ suche man die homologen Punkte $p'm'n'o'...$ Durch Verbindung von p' mit $m'n'o'..$ erhält man das Strahlenbüschel $p'(m'n'o'..)$, welches die collineare Figur zu $p(MNO..)$ ist. Da aber nach früherem $mno.. \overline{\wedge} m'n'o'..$, so sind es auch die beiden collinearen Strahlenbüschel.

32. **Den unendlich fernen Punkten des einen Systemes entspricht eine Gerade im anderen System, welche die Gegenlinie des letzteren genannt wird.**

Beweis. Befindet sich der Punkt p beständig im Unendlichen, so ist der Strahl $ap \parallel bp$, und folglich sind die Strahlenbüschel $a(p..)$ und $b(p..)$ nach 12 congruent und projectivisch, demnach auch $a'(p'..) \overline{\wedge} b'(p'..)$. Die beiden letzten Strahlenbüschel befinden sich aber in perspectivischer Lage, denn nach 29. decken sich in $a'b'$ die homologen Strahlen $a'b'$ und $b'a'$, daher durchläuft p' eine Gerade, welche mit V' bezeichnet wird, und welche, wie schon oben bemerkt wurde, die *Gegenlinie* des gestrichelten Systems genannt wird. Ebenso zeigt man, dass wenn p' sich im Unendlichen bewegt, p eine Gerade U beschreibt, die *Gegenlinie* des ungestrichelten Systems.

Anmerkung. Der eben bewiesene Satz bestätigt die in 2. ausgesprochene Behauptung, dass die unendlich fernen Punkte der Ebene auf einer Geraden, der sogenannten unendlich fernen Geraden der Ebene, liegen. Will man nämlich von dem Satze, dass in der collinearen Verwandtschaft einer Geraden wieder eine Gerade entspricht, keine Ausnahme schaffen, so muss man, da der Geraden U die unendlich fernen Punkte im gestrichelten System entsprechen, sagen: „Sämtliche gestrichelten unendlich fernen Punkte liegen auf einer Geraden."

Die unendlich fernen Punkte der Gegenlinien entsprechen sich gegenseitig.

Beweis. Dem unendlich fernen Punkte von V', weil unendlich fern, kann im ungestricheltem System nur ein Punkt von U entsprechen, und weil er auf V' liegt, nur der unendlich ferne Punkt von U.

Zusatz I. Nach 31. entspricht in der collinearen Ver-

wandtschaft einem Strahlenbüschel ein projectivischer Büschel,
und man erhält zwei solche, wenn man von homologen Punkten
aus homologe Punkte projiciert. Man findet demnach in zwei
solchen Büscheln ein Paar homologe Strahlen, **wenn man
durch ihre Träger Parallele zu den Gegenlinien zieht.**

Zusatz 2. **Einem Strahlenbüschel, dessen Träger in der
Gegenlinie liegt, entspricht im anderen System ein Parallel-
Strahlenbüschel,** denn die Strahlen des letzteren müssen durch
das unendlich ferne Bild des Trägers des ersten Büschels
hindurchgehen.

33. **In zwei collinearen Systemen gibt es immer zwei
homologe congruente Strahlenbüschel.**

Beweis. In Fig. 13
entspricht d. Strahlen-
büschel, dessen Träger
u_1 auf der Gegenlinie
U gelegen ist, im ge-
strichelten System
nach 32., Zusatz 2, ein
Parallelstrahlenbüschel,
welches die Gegenlinie

Figur 13.

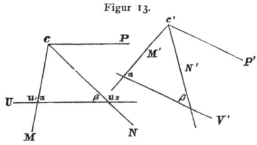

V' unter dem Winkel a schneidet. Zieht man durch u_1 den
Strahl M unter dem Winkel a zu U, so entspricht diesem M'
unter dem Winkel a zu V'. Dem Strahlenbüschel mit dem
Träger u_2 auf U entspricht ebenfalls ein Parallelstrahlenbüschel,
welches V' unter dem Winkel β schneidet. Zieht man durch
u_2 den Strahl N unter β zu U, so schneidet dieser M in c,
und sein homologer Strahl N' schneidet M' im homologen
Punkte c' zu c und V' unter dem Winkel β. c und c' sind
nach Früherem die Träger zweier homologer projectivischer
Strahlenbüschel. In diesen findet man nach 31., Zusatz 1, noch
ein Paar homologe Strahlen, wenn man durch c und c' zu U
beziehungsweise V' die Parallelen P und P' zieht. Wie man
sieht, sind aber nach 12. die beiden Strahlenbüschel congruent,
denn $\sphericalangle McN = M'c'N'$, und $\sphericalangle McP = M'c'P'$.

34. **Centrische Collineation.** Man kann die beiden collinearen Systeme so aufeinander legen, dass die beiden congruenten Strahlenbüschel sich decken. Dann heissen die zusammenfallenden Träger derselben *Collineationscentrum.* Je
zwei homologe Punkte, z. B. a und a', müssen hierauf auf
einem durch das Collineationscentrum hindurchgehenden Strahle
liegen, und die nun vorhandene geometrische Verwandtschaft

der ebenen Figuren wird *centrale* oder *centrische Collineation* genannt.

In der centralen Collineation gibt es eine Gerade, in welcher sich homologe Punkte decken, und welche die Collineationsachse genannt wird.

Beweis. Durchläuft ein Punkt *a* einen durch das Collineationscentrum *c* hindurchgehenden Strahl, so durchläuft sein homologer Punkt *a'* (Fig. 14) denselben Strahl, und es

Figur 14.

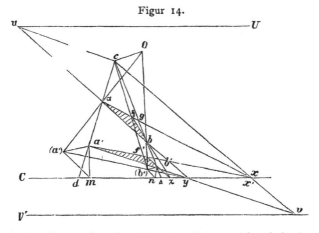

sind nach 31. die conlocalen Punktreihen projectivisch. Da sie bereits in *c* einen Doppelpunkt haben, so müssen sie nach 16. noch einen haben, und dieser sei *d*. Dasselbe gilt von den conlocalen projectivischen Punktreihen *b* und *b'*, welche ausser *c* noch den Doppelpunkt △ haben mögen. *C*, d. h. die Verbindungslinie *d*△ ist demnach eine selbstentsprechende Gerade, und es ist nur noch zu zeigen, dass in ihr sich noch ausser *d* und △ homologe Punkte decken. Zieht man durch *c* einen beliebigen Strahl, der *C* in *x* schneidet, so muss *x'* auf *C* liegen, da *C* eine selbstentsprechende Gerade ist, und ausserdem auf *cx*, es fällt also *x'* nach *x*.

Zusatz 1. Es folgt unmittelbar, dass auf der **Collineationsachse sich die homologen Geraden schneiden.**

Zwei centrisch-collineare Systeme sind durch das Centrum, die Achse und ein Paar homologe Punkte *a* und *a'* vollkommen bestimmt.

Beweis. Um zu *b* (Fig. 14) den homologen Punkt *b'* zu finden, verbinde man *b* mit *c*, auf welchem Strahle hierauf *b'* liegen muss. Die Verbindungslinie *ab* schneidet die Achse *C* in y, und dann ist nach 33, Zusatz 1, $a'y$ die homologe Gerade zu ab, daher ihr Schnittpunkt mit cb der verlangte Punkt b'.

Anmerkung. Bestimmt man in Fig. 14 auf dieselbe Art zum Punkte f den homologen Punkt f', so müssen sich auch fb und $f'b'$ auf C schneiden, da sie entsprechende Geraden sind. Das giebt den Satz des *Desargues* von den

34 a. **perspectivischen Dreiecken,** welcher hier bewiesen werden soll. Zwei Dreiecke heissen *perspectivisch,* wenn ihre Ecken paarweise auf drei durch einen Punkt gehenden Strahlen liegen. Je zwei Eckpunkte, die auf demselben Strahle liegen, heissen *homolog,* und die Verbindungslinien homologer Punkte heissen *homologe Seiten.* So sind in Fig. 14 die schraffierten Dreiecke abf und $a'b'f'$ perspectivisch. Homologe Seiten sind z. B. ab und $a'b'$.

Die homologen Seiten perspectivischer Dreiecke schneiden sich auf einer Geraden.

Beweis. In Fig. 14 ist zu zeigen, dass die Schnittpunkte x, y und z der homologen Seiten der $\triangle\, abf$ und $a'b'f'$ auf einer Geraden liegen. Es ist $afgx\,(\overline{\wedge})\,a'f'g'x$, daher $b\,(afg\,x)\;\overline{\wedge}\;b'\,(a'f'g'x')$ und da sich in bb' zwei homologe Strahlen bg und $b'g'$ decken, perspectivisch, demnach x, y, z Punkte einer Geraden.

Der reciproke Satz lautet: **Schneiden sich die Seiten zweier Dreiecke paarweise auf einer Geraden, so sind die Dreiecke perspectivisch.**

Beweis. In Fig. 14 schneiden sich die Seiten der schraffierten Dreiecke abf und $a'b'f'$ paarweise in x, y, z auf der Geraden C. Es ist nun zu zeigen, dass die Verbindungslinien aa', bb' und ff' durch einen Punkt c hindurchgehen. Es ist $b\,(afg\,x)\,(\overline{\wedge})\,b'\,(a'f'g'x)$. Das erste Strahlenbüschel wird von der Geraden ax in der Punktreihe $afgx$, und das zweite von $a'x$ in jener $a'f'g'x$ geschnitten. Beide Punktreihen sind daher projectivisch, und da sich in x homologe Punkte decken, perspectivisch. aa', bb' und ff' gehen demnach durch einen Punkt c.

35. **Fortsetzung der Eigenschaften der centrischen Collineation. In centrisch-collinearen Systemen sind die Gegenlinien zur Achse parallel.**

Beweis. Da der unendlich ferne Punkt der Collineationsachse sich selbst entspricht, so müssen nach 32 beide Gegenlinien durch denselben gehen.

Aufgabe. **Die Gegenlinien einer durch Centrum, Achse und ein Paar homologe Punkte gegebenen centrischen Collineation sind zu bestimmen.**

Man suche (Fig. 14) zu dem unendlich fernen Punkte von $a'b'$ den homologen Punkt. Dieser muss auf der Parallelen durch c zu $a'b'$ liegen und auf ab, demnach im Schnittpunkte u beider. Zieht man durch u eine Parallele zu C, so ist das U. Zieht man durch c eine Parallele zu ab, so schneidet diese $a'b'$

in v', und die durch letzteren Punkt zu C gezogene Parallele ist V'.

Die eine Gegenlinie steht ebenso weit vom Centrum ab, wie die andere von der Achse.

Beweis. In Fig. 14 ist das Viereck $cuyv'$ ein Parallelogramm, daher $cu = yv'$ und $cv' = yu$.

Zieht man demnach durch c eine Parallele zu C, so liegen die beiden Gegenlinien entweder innerhalb des so entstandenen Flächenstreifens, oder sie sind durch denselben getrennt. Liegen in dem ersten Falle beide Gegenlinien in der Mitte zwischen Centrum und Achse zusammen, so heisst die Verwandtschaft eine *involutorische Collineation,* denn es entsprechen sich dann die homologen Punkte vertauschbar oder involutorisch.

Beweis. Nach 34. sind zwei centrisch-collineare Systeme auch durch Centrum, Achse und eine Gegenlinie bestimmt,

Figur 15.

denn für einen Punkt u der Gegenlinie U (Fig. 15) liegt der homologe Punkt u' auf dem Strahle cu im Unendlichen.

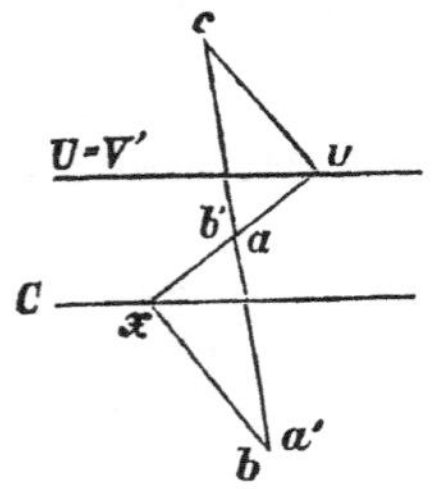

In Fig. 15 wurde ferner die Gegenlinie U in der Mitte zwischen c und C angenommen, woselbst sie nach Vorhergehendem mit V' zusammenfällt. Zum beliebig angenommenen Punkte a liegt der homologe Punkt a' auf dem Strahle ca. Zieht man durch a einen beliebigen Strahl, so schneidet dieser U in u und C in x. Die durch x gezogene Parallele zu cu ist die homologe Gerade zu xu und schneidet daher ca in a'. Bezeichnet man a mit b', so überzeugt man sich leicht, dass dann b nach a' fällt, daher entsprechen sich die Punkte involutorisch.

36. **Von zwei centrisch-collinearen Systemen kann das eine immer als die Centralprojection des anderen betrachtet werden.**

Beweis. Man denke sich in Fig. 14 das gestrichelte System um einen beliebigen Winkel um die Collineationsachse gedreht. Dabei beschreibt a' einen Kreisbogen vom Mittelpunkte m, wenn $a'm$ senkrecht auf C steht. Der gedrehte Punkt werde mit (a') bezeichnet. Man hat sich also in Fig. 14 den Punkt (a') nicht in der Zeichnungsebene, sondern etwa oberhalb derselben im Raum zu denken. Der gedrehte Punkt b' muss hierauf auf $(a')y$ liegen, und ist n der Mittelpunkt seines Kreisbogens, so ist $(b')n \parallel (a')m$ und $(b')b' \parallel (a')a'$. Die

beiden Geraden $a(a')$ und $(b')b$ müssen sich in einem Punkte o
schneiden, denn sie liegen in der Ebene $a(a')y$, und es ist o

Figur 14.

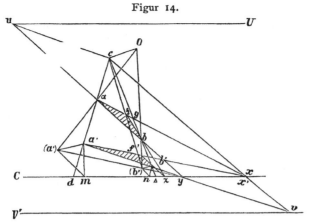

ein fester Punkt, durch den auch $(f')f$ hindurchgeht. Es
schneiden sich nämlich die Ebenen $(a')aa'$ und $(b')bb'$ in der
Geraden co, diese ist parallel zu $(a')a$, daher ist sie so wie o
fix, und o ist das Centrum, welches das gedrehte gestrichelte
System in das ungestrichelte projiciert. Da man nun nach 33.
zwei collineare Systeme in centrische Lage bringen kann, so
folgt daraus, dass man von zwei collinearen Figuren die eine
immer als die Centralprojection der anderen betrachten kann.

37. Bekanntlich erhält man die *Kegelfläche,* wenn man
alle Punkte des Kreisumfanges mit einem ausserhalb der Ebene
desselben gelegenen Punkte verbindet. Die entstehenden
geraden Linien nennt man die *Erzeugenden* der Fläche.
Schneidet man die Kegelfläche mit einer Ebene, so heisst die
Schnittfigur *Kegelschnitt,* und man sieht, dass der Kegelschnitt
die Centralprojection des Kreises ist.

Die schneidende Ebene kann zur Kegelfläche nur drei
wesentlich verschiedene Lagen haben, und darnach unterscheidet man auch drei verschiedene Kegelschnitte. Ist sie
nämlich 1) zu keiner Erzeugenden parallel, dann hat der Kegelschnitt keine unendlich fernen Punkte und heisst *Ellipse;*
2) ist sie nur zu einer Erzeugenden parallel, so hat der Kegelschnitt einen unendlich fernen Punkt und heisst *Parabel,* und
endlich 3) ist sie zu zwei Erzeugenden parallel, so hat der
Kegelschnitt zwei unendlich ferne Punkte und heisst *Hyperbel.*

Die collineare Figur eines Kreises ist ein Kegelschnitt.

Beweis. Nach 36. kann man die collineare Figur des Kreises als dessen Centralprojection betrachten.

Anmerkung. Ueber die Natur des Kegelschnittes, der die collineare Figur eines Kreises ist, wird die zum Kreise gehörige Gegenlinie Aufschluss geben. Schneidet die Gegenlinie den Kreis nicht, so hat seine collineare Figur keinen unendlich fernen Punkt und ist eine Ellipse. Berührt der Kreis die Gegenlinie, so ist die collineare Figur eine Parabel, schneidet er sie, eine Hyperbel.

38. Zwei collineare Systeme sind durch die Annahme von vier Paar homologen Punkten vollkommen bestimmt.

Beweis. Sind aa', bb' die Träger der vier paarweise projectivischen Strahlenbüschel, die die collineare Verwandtschaft bestimmen (s. 29. u. 30.), so darf man, da dem Strahle ab jener $a'b'$ und ba jener $b'a'$ entspricht, in jedem derselben nur noch zwei Strahlen beliebig annehmen, nämlich im Strahlenbüschel a die Strahlen aA, aB, denen man in jenem a' die Strahlen $a'A'$ und $a'B'$ als homologe zuordnet, und endlich in b die Strahlen $b\alpha$ und $b\beta$, denen wieder in b' die Strahlen $b'\alpha'$ und $b'\beta'$ zugeordnet werden. aA und ba schneiden sich in c, die homologen Strahlen $a'A'$ und $b'\alpha'$ im homologen Punkte c', ferner aB und $b\beta$ in d, $a'B'$ und $b'\beta'$ im homologen Punkte d'. Durch die vier Paar homologen Punkte aa', bb', cc' und dd' sind aber die zur Bestimmung der collinearen Verwandtschaft nothwendigen Strahlenbüschel vollkommen bestimmt.

Zusatz. **Man erhält zum Punkte p den nämlichen homologen Punkt p', wenn man statt aa', bb' zwei andere Punktepaare, etwa cc', dd', zu Trägern der projectivischen Strahlenbüschel macht.**

Beweis. In der collinearen Verwandtschaft, in welcher aa', bb' die Träger der projectivischen Punktreihen sind, entstehen nach 31., Zusatz 1, zwei projectivische Strahlenbüschel $c(abdp..)$ und $c'(a'b'd'p'..)$. Ebenso ist $d(abcp..) \barwedge d'(a'b'c'p'..)$. Das sind aber die nämlichen vier Büschel, wie wenn man cc' dd' zu Trägern der Strahlenbüschel gemacht hätte, also muss auch p' in der neuen Zuordnung p entsprechen.

39. Sind fünf Punkte, von denen nicht drei in einer Geraden liegen, gegeben, so kann man eine collineare Verwandtschaft so herstellen, dass ihre homologen Punkte auf einen Kreis fallen.

Beweis. Man nehme zu vier der gegebenen Punkte abc und d die homologen Punkte $a'b'c'd'$ auf einem Kreise K

an. Dadurch ist nach 38. die Collineation bestimmt. Wenn man nun zu dem fünften Punkte e den homologen Punkt e' sucht, so wird er im allgemeinen nicht auf K fallen, sondern ausserhalb des Umfanges desselben zu liegen kommen. Die Gerade $d'e'$ wird den Kreis noch einmal in x schneiden. Lässt man den Punkt d' den Kreis durchlaufen, wobei sich auch e' ändert, so geht die Linie $d'e'$ immer durch denselben Punkt x. Kommt nämlich d' nach d''', so gelangt e' nach e'', und es soll gezeigt werden, dass $d''e''$ jetzt auch durch x geht.

Es ist $d'(a'b'c'x) \overline{\wedge} d''(a'b'c'x)$, weil congruent. $d'(a'b'c'x)$ ist identisch mit $d'(a'b'c'e')$, daher auch:
$$d'(a'b'c'e') \overline{\wedge} d''(a'b'c'x).$$

In der Collineation, in welcher $d' .. d$ und $e' .. e$ entspricht, ist $d'(a'b'c'e') \overline{\wedge} d(abce)$, daher:
$$1)\ d''(a'b'c'x) \overline{\wedge} d(abce).$$

In der zweiten Collineation, in welcher $d''' .. d$ und $e''' .. e$ entspricht, ist $d(abce) \overline{\wedge} d'''(a'b'c'e'')$, daher mittelst 1):
$$d'''(a'b'c'e'') \overline{\wedge} d''(a'b'c'x).$$

Die beiden Strahlenbüschel stimmen aber in drei Strahlen überein, sie müssen sich daher vollständig decken, daher fällt $d'''x$ mit $d''e''$ zusammen.

Nimmt man aber statt zu d zuerst zu e den homologen Punkt e' an und lässt denselben den Kreis durchlaufen, so kann man die nämlichen Schlüsse machen, und es wird sich ein fester Punkt y auf dem Kreise ergeben, durch den beständig die Gerade $e'd'$ hindurchgeht. Nun kann man indirekt zeigen, dass, wenn man e' in x annimmt, d' nach y fällt. Angenommen d' und y seien verschiedene Punkte, deren Verbindungslinie aber nach Vorhergehendem durch x gehen muss. Dann ist, weil x mit e' zusammenfällt,

$d'(a'b'c'x) \overline{\wedge} d(abce)$, daher mittelst 1)
$d'(a'b'c'x) \overline{\wedge} d''(a'b'c'x)$, ferner vermöge des Kreises K
$d''(a'b'c'x) \overline{\wedge} y(a'b'c'x)$, weil congruent, daher
$d'(a'b'c'x) \overline{\wedge} y(a'b'c'x)$, in welchen Strahlenbüscheln

sich die homologen Strahlen $d'x$ und yx decken, daher liegen a, b und c in einer Geraden, was gegen die Voraussetzung ist. Der Widerspruch hört erst auf, wenn d' mit y zusammenfällt.

§ 10. Anwendung der Collineation auf die Kegelschnitte.

40. **Das Erzeugnis zweier projectivischer Strahlenbüschel ist ein Kegelschnitt.**

Beweis. Die beiden projectivischen Strahlenbüschel mit den Trägern o_1·und o_2 sind durch drei Paar homologe Strahlen, welche sich gegenseitig in den Punkten a, b und c schneiden, bestimmt. Nach 39. kann man eine collineare Verwandtschaft so herstellen, dass o_1', o_2', a', b' und c' auf einen Kreis·K fallen. Die collineare Verwandtschaft ist hierauf durch $o_1(abc..) \barwedge o_1'(a'b'c'..)$ und $o_2(abc..) \barwedge o_2'(a'b'c'..)$ bestimmt. Es sei p der Schnittpunkt von irgend zwei homologen Strahlen der gegebenen Büschel, dann ist er an die Beziehung gebunden
$$o_1(abcp) \barwedge o_2(abcp) \ldots 1).$$

Es sei P' der homologe Strahl zu $o_1 p$ in dem Büschel o_1', und es schneide $P'K$ in p', so ist p' der homologe Punkt zu p in der collinearen Verwandtschaft, wenn man zeigt, dass $o_2(abcp) \barwedge o_2'(a'b'c'p')$. Nach der Voraussetzung ist
$$o_1'(a'b'c'p') \barwedge o_1(abcp), \text{ daher mittelst } 1)$$
$$o_1'(a'b'c'p') \barwedge o_2(abcp) \ldots 2).$$
Da aber p' ein Punkt des Kreises, ist
$$o_1'(a'b'c'p') \barwedge o_2'(a'b'c'p'), \text{ daher mittelst } 2)$$
$$o_2'(a'b'c'p') \barwedge o_2(abcp).$$
Das collineare Bild der mit den homologen Strahlen variierenden Punkte p ist demnach ein Kreis, daher das Erzeugnis der Büschel nach 37. ein Kegelschnitt.

Untersuchung, ob der durch zwei projectivische Büschel erzeugte Kegelschnitt eine Ellipse, Hyperbel oder Parabel ist. Enthalten die zwei projectivischen Strahlenbüschel kein Paar parallele homologe Strahlen, so hat deren Erzeugnis keinen unendlich fernen Punkt und dasselbe ist eine Ellipse. Giebt es nur ein Paar parallele homologe Strahlen, so giebt es nur einen unendlich fernen Punkt und das Erzeugnis ist eine Parabel, und giebt es endlich zwei Paar homologe parallele Strahlen, so ist das Erzeugnis eine Hyperbel.

Figur 16.

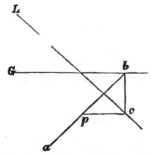

Die parallelen homologen Strahlen erkennt man gewöhnlich mit Leichtigkeit aus der Entstehungsart der projectivischen Strahlenbüschel, wie folgendes Beispiel zeigt. In Fig. 16 sind zwei sich schneidende gerade Linien G und L und ein ausserhalb derselben gelegener Punkt a gegeben. Durch a wird ein beliebiger Strahl gezogen, der G in b schneidet. In b wird eine Senkrechte auf G errichtet, die L in c schneidet, und durch c

eine Parallele zu G gezogen, die ab in p trifft. Der Ort von p ist zu ermitteln, wenn der Strahl ab variiert. Bei der Variierung des Strahles entsteht auf G die Punktreihe b. Da in allen Elementen derselben Senkrechte auf G errichtet werden, so entsteht ein Parallelstrahlenbüschel, welches von L in der zu b perspectivischen Punktreihe c geschnitten wird. Da nun beständig zu G durch c Parallele gezogen werden, so entsteht ein zweites Parallelstrahlenbüschel, welches dem Strahlenbüschel $a(b)$ projectivisch sein muss, da beide die projectivischen Punktreihen b und c projicieren. Das Erzeugnis beider, demnach der Ort p, ist ein Kegelschnitt. Da die Elemente des Parallelstrahlenbüschels parallel zu G sind, so kann es im Büschel a nur einen Strahl geben, der zu seinem homologen Strahl parallel ist, und das ist der durch a parallel zu G gezogene Strahl; der Kegelschnitt ist demnach eine Parabel.

Sind die den Kegelschnitt erzeugenden projectivischen Strahlenbüschel durch drei Paar homologe Strahlen gegeben, so ziehe man zur Bestimmung der parallelen homologen Strahlen durch den Träger des einen Büschels Parallele zu den Strahlen des zweiten Büschels, wodurch man nach 12. zwei conlocale projectivische Strahlenbüschel erhält. Haben dieselben zwei reelle Doppelstrahlen, so haben die ursprünglich gegebenen Büschel zwei Paar parallele homologe Strahlen, erzeugen also eine Hyperbel. Fallen die Doppelstrahlen zusammen, so ist der erzeugte Kegelschnitt eine Parabel, sind die Doppelstrahlen imaginär, so ist das Erzeugnis eine Ellipse.

Anmerkung. Wie man mittelst eines Kreises die Doppelstrahlen zweier concentrischer projectivischer Strahlenbüschel bestimmt, wird später gezeigt werden.

Das Erzeugnis zweier projectivischer Parallelstrahlenbüschel kann nur eine Hyperbel sein, da nach 26. das Erzeugnis derselben durch die beiden unendlich fernen Träger hindurchgeht. Vervollständigt man die beiden Büschel nach 15., so erhält man das Vervollständigungscentrum im Endlichen. Läge es im Unendlichen, so wären die Strahlenbüschel perspectivisch. Zieht man durch das Vervollständigungscentrum Parallele zu den Richtungen der Strahlenbüschel, so erhält man nach 26. die Tangenten in den unendlich fernen Trägern oder die *Asymptoten* der Hyperbel, da bekanntlich eine Tangente mit unendlich fernem Berührungspunkte Asymptote genannt wird.

Das Erzeugnis eines gewöhnlichen Strahlenbüschels mit

einem ihm projectivischen Parallelstrahlenbüschel kann eine
Hyperbel oder Parabel sein. Darüber entscheidet die Lage
des Vervollständigungscentrums. Liegt (Fig. 6) der Träger o'
im Unendlichen, das Vervollständigungscentrum c im Endlichen, so ist das Erzeugnis eine Hyperbel, denn man kann
durch c eine Parallele zu oA ziehen, welche A_1 in η schneidet.
$o\eta$ ist hierauf der Strahl, welcher der unendlich fernen Geraden
des Parallelstrahlenbüschels entspricht, und es liegt demnach
auf $o\eta$ noch ein unendlich ferner Punkt des Erzeugnisses.
Fällt das Vervollständigungscentrum c ins Unendliche, so
überzeugt man sich leicht, dass dem unendlich fernen Strahle
des Parallelstrahlenbüschels die durch o gezogene Parallele
zu der Richtung des letzteren entspricht, dass man also nur
einen unendlich fernen Punkt und demnach eine Parabel hat.

Die Hyperbel heisst bekanntlich *gleichseitig,* wenn die
Richtungen, in welchen die unendlich fernen Punkte derselben
liegen, auf einander senkrecht stehen, oder, was dasselbe ist,
wenn ihre Asymptoten mit einander einen rechten Winkel
bilden.

**Das Erzeugnis zweier ungleichstimmiger congruenter
Strahlenbüschel ist eine gleichseitige Hyperbel.**

Figur 17.

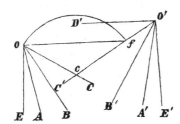

Beweis. Ist (Fig. 17) $\sphericalangle AoB$
$= A'o'B'$ und $\sphericalangle BoC = B'o'C'$, so
ist $o(ABC)$ ungleichstimmig con-
gruent zu $o'(A'B'C')$. In c schneiden
sich $o'C'$ und oC. Macht man cf
$= oc$ und zieht $o'D' \parallel of$, $oE \perp of$
und $o'E' \perp o'D'$, so sind DD' und
EE' homologe Strahlen.

41. **Durch fünf Punkte, von denen drei nicht in einer
Geraden liegen, kann man immer einen Kegelschnitt legen.**

Beweis. Sind $abcd$ und e die fünf gegebenen Punkte,
so mache man etwa a und b zu den Trägern zweier projectivischer Büschel, wobei die letzteren hierauf durch drei
Paar homologe Strahlen ac und bc, ad und bd, ae und be
gegeben sind und nach 40. einen Kegelschnitt erzeugen, der
durch die fünf Punkte hindurchgeht.

Den erzeugten Kegelschnitt kann man als die collineare
Figur eines Kreises betrachten, wenn man nach 39. $abcde$
fünf Punkte $a'b'c'd'e'$ eines Kreises zuordnet. Da man aber
nach 38., Zusatz, immer dieselbe Collineation erhält, welche

Punktepaare man auch zu den Trägern der die Collineation
bestimmenden projectivischen Büscheln macht, so erhält man
auch immer denselben Kegelschnitt, ob man ab oder ein
anderes Punktepaar zu den Trägern der projectivischen
Büschel macht.

Zusatz. Eine Hyperbel ist durch drei Punkte und die
Asymptotenrichtungen bestimmt.

42. **Alle Punkte eines Kegelschnittes werden von zwei**
derselben in projectivischen Strahlenbüscheln projiciert.

Beweis. Angenommen alle Punkte x des Kegelschnittes
K werden von zwei Punkten a und b desselben projiciert,
wodurch die Büschel $a(x\,.\,.)$ und $b(x\,.\,.)$ entstehen. Nach
Früherem kann K als die collineare Figur eines Kreises K'
betrachtet werden. Die Collineation ist durch die zwei Paar
projectivischen Strahlenbüschel $a(x\,.\,.) \barwedge a'(x'\,.\,.)$ und $b(x\,.\,.) \barwedge$
$b'(x'\,.\,.)$, wobei $a'b'$ und x' auf K' liegen, bestimmt. Vermöge
K' ist aber $a'(x'\,.\,.) \barwedge b'(x'\,.\,.)$, weil congruent, daher auch $a(x\,.\,.)$
$\barwedge b(x\,.\,.)$.

§ 11. Krumme projectivische Punktreihen auf dem Kegelschnitte.
Satz des Pascal.

43. Legt man (Fig. 4) ein Strahlenbüschel $o(ABCDT\,.\,.)$
mit seinem Träger o in die Peri-
pherie eines Kegelschnittes, so
schneidet ein jeder Strahl desselben ausser in o den Kegelschnitt noch in einem Punkte
(z. B. A in a), und die Gesammtheit aller dieser Punkte wird nach
1. eine *krumme Punktreihe* genannt. Auch der Träger o gehört derselben an; der ihn er-
zeugende Strahl ist die Tangente T an den Kegelschnitt in o.

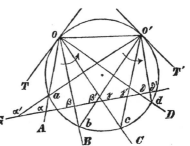

Figur 4.

Eine solche Punktreihe $abcdo\,.\,.$ wird von einem jeden
Punkte des Kegelschnittes (z. B. o') nach 42. in einem dem ursprünglichen projectivischen Büschel projiciert, wobei homologe
Strahlen jene sind, die denselben Punkt projiciren (z. B oc
und $o'c$).

Der Verbindungslinie der beiden Träger der Büschel oo'
entspricht, zum Strahlenbüschel o' gerechnet, im Büschel oT,

dagegen zum Büschel o gerechnet, im Büschel o' die Tangente T' in o' an den Kegelschnitt.

Legt man zwei projectivische Strahlenbüschel $o(abcx..)$ und $o'(a'b'c'x'..)$ (man denke sich [Fig. 18] o mit $abcx$ und o' mit $a'b'c'x'$ verbunden) mit ihren Trägern auf einen Kegelschnitt, so erhält man auf demselben zwei krumme Punktreihen $abcx..$ und $a'b'c'x'...$ Unter *homologen Punkten* derselben versteht man jene Punkte, welche Schnittpunkte homologer Strahlen sind (z. B. c und c'). Die beiden Punktreihen werden *krumme projectivische Punktreihen* genannt. **Sie haben die Eigenschaft, dass sie von irgend zwei Punkten y und z des Kegelschnittes in projectivischen Strahlenbüscheln projiciert werden.**

Beweis. Es ist nach 42. $y(abcx..) \barwedge o(abcx..)$, folglich nach 10. $y(abcx..) \barwedge o'(a'b'c'x'..)$. Ebenso ist nach 42. $z(a'b'c'x'..) \barwedge o'(a'b'c'x'..)$, und demnach abermals nach 10. $y(abcx..) \barwedge z(a'b'c'x'..)$.

Zusatz. Zwei krumme projectivische Punktreihen einer dritten projectivisch sind unter einander projectivisch.

Aufgabe. **Zwei durch drei Paar homologe Punkte aa', bb', cc' (Fig. 18) gegebene krumme projectivische Punktreihen sind zu vervollständigen.**

Figur 18.

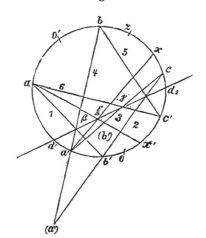

(α)

Man projiciere von a aus die gestrichelte, von a' die ungestrichelte Punktreihe. Dadurch erhält man zwei projectivische Strahlenbüschel in perspectivischer Lage, da sich in aa' homologe Strahlen decken. Die homologen Strahlen ab' und $a'b$ schneiden sich in β, ac' und $a'c$ in γ. $\beta\gamma$ ist die Vervollständigungsachse der perspectivischen Strahlenbüschel (s. 13.). Um zum Punkte x den homologen zu finden, verbinde man x mit a', worauf man auf $\beta\gamma\ \xi$ erhält. $a\xi$ schneidet hierauf den Kegelschnitt in x'.

Die Vervollständigungsachse bleibt dieselbe, wenn auch ein anderes Paar homologer Punkte (z. B. bb' statt aa') benützt wird.

Beweis. Bei der Benützung von bb' bleibt der Punkt β

als der Schnittpunkt der homologen Strahlen ba' und $b'a$ ein Punkt der neuen Vervollständigungsachse. Die Strahlen bc' und $b'c$ schneiden sich in γ', und es ist zu zeigen, dass die drei Punkte $\beta\gamma\gamma'$ in einer Geraden liegen. Zu dem Ende projiciere man ·die vier Punkte $a'b'cc'$ von a und b aus, wodurch man nach 42. zwei projectivische Strahlenbüschel erhält. Das erste Strahlenbüschel a schneide man (Fig. 18) mit der Geraden $a'c$, wodurch man die Punktreihe $a'(b')\gamma c$ erhält, das zweite b mit $b'c$, wodurch man die Punktreihe $(a')b'\gamma'c$ erhält. Beide Punktreihen sind projectivisch und perspectivisch, denn in c decken sich homologe Punkte. Das Centrum der Perspectivität ist β, der Schnittpunkt von $(a')a'$ mit $(b')b'$, daher muss auch $\gamma\gamma'$ durch β hindurchgehen.

Die sechs Punkte $ab'ca'bc'$ bilden in der genannten Reihenfolge mit einander verbunden ein durch die Linie $c'a$ geschlossenes, dem Kegelschnitte eingeschriebenes Sechseck, dessen Seiten in der angegebenen ˙Ordnung in Fig. 18 mit 1 2 3 4 5 und 6 nummeriert wurden. *Gegenüberliegende Seiten* werden genannt: 1 und 4, 2 und 5, 3 und 6, und man sieht, dass sich die gegenüberliegenden Seiten auf einer Geraden, der Vervollständigungsachse, schneiden. Das giebt den berühmten Satz des *Pascal,* welcher lautet:

Ist einem Kegelschnitt ein Sechseck eingeschrieben, so schneiden sich die gegenüberliegenden Seiten auf einer Geraden, der Pascal-Geraden.

Schneidet die Vervollständigungsachse den Kegelschnitt wie in Fig. 18, so sind die Schnittpunkte d_1 und d_2 *Doppelpunkte* der krummen projectivischen Punktreihen. Berührt die Vervollständigungsachse den Kegelschnitt, so fallen die Doppelpunkte in einen einzigen zusammen. Schneidet die Vervollständigungsachse den Kegelschnitt nicht, so sagt man, die krummen projectivischen Punktreihen haben *imaginäre Doppelpunkte;* im ersten Falle sie haben *zwei reelle* und im zweiten Falle *reelle zusammenfallende Doppelpunkte.*

§ 12. Vervollständigung conlocaler projectivischer Punktreihen und concentrischer projectivischer Strahlenbüschel mittelst des Kreises.

44. Was in 43. von dem Kegelschnitte bewiesen wurde, das gilt auch vom Kreise,*) der selbst ein Kegelschnitt ist.

---

*) Man könnte diese Eigenschaften des Kreises auch noch vor der Collineation selbständig beweisen, wenn man bedenkt, dass die Strahlenbüschel,

Man kann daher wie folgt den Kreis zur Vervollständigung
conlocaler projectivischer Punktreihen benützen.

Man nehme ausserhalb des Trägers G der beiden conlocalen Punktreihen, welche durch die drei Paar homologen
Punkte aa', bb' und cc' gegeben sind, einen Punkt o an. $\cdot$Von
diesem aus projiciere man die beiden Punktreihen, wodurch
man zwei concentrische projectivische Strahlenbüschel erhält.
Hierauf lege man durch o einen Kreis, welcher die Strahlenbüschel in krummen projectivischen Punktreihen schneidet,
von denen man drei Paar homologe Elemente $\alpha\alpha'$, $\beta\beta'$ und $\gamma\gamma'$
erhält, und deren Vervollständigungsachse man nach Auf-
gabe 43 bestimmt. Hat man nun zum Punkte x der ungestrichelten Punktreihe a den homologen Punkt x' zu finden,
so ziehe man ox, welcher Strahl den Kreis in ξ schneide. Zu
ξ suche man in der krummen Punktreihe α' den homologen
Punkt ξ'. Der Strahl $o\xi'$ schneidet hierauf G in x'. Schneidet
die Vervollständigungsachse den Kreis in δ_1 und δ_2, so erhält
man durch Projection dieser Punkte von o aus auf G die
Doppelpunkte d_1 und d_2 der conlocalen projectivischen Punktreihen und man sagt, dieselben haben *zwei reelle Doppelpunkte*.
Berührt die Vervollständigungsachse den Kreis, so erhält man
durch Projection des Berührungspunktes von o aus auf G die
zusammenfallenden reellen Doppelpunkte der conlocalen projectivischen Punktreihen, und endlich, wenn die Vervollständigungsachse den Kreis nicht schneidet, sagt man, die
**Doppelpunkte der beiden conlocalen projectivischen Punkt-
reihen sind imaginär.**

Ebenso erfolgt die Vervollständigung concentrischer projectivischer Strahlenbüschel.

Zur Uebung. Die conlocalen projectivischen Punktreihen sind gegeben 1) durch zwei Paar homologe Punkte und
den Gegenpunkt der einen Punktreihe, 2) durch ein Paar
homologe Punkte und die Gegenpunkte beider Reihen, 3) durch
zwei Paar homologe Punkte und einen Doppelpunkt, wobei
sich unter den ersteren auch Gegenpunkte befinden können,
4) durch ein Paar homologe Punkte beziehungsweise einen
Gegenpunkt und zwei Doppelpunkte, 5) durch ein Paar homologe Punkte (einen Gegenpunkt) und zwei zusammenfallende
Doppelpunkte.

---

welche entstehen, wenn man von zwei Punkten des Kreises alle übrigen Punkte
projiciert, congruent, daher perspectivisch sind.

Zwei concentrische projectivische Strahlenbüschel sind gegeben 1) durch zwei Paar homologe Strahlen und einen Doppelstrahl, 2) durch ein Paar homologe Strahlen und zwei Doppelstrahlen und 3) durch ein Paar homologe Strahlen und die beiden zusammenfallenden Doppelstrahlen.

§ 13. Anwendungen des Pascalschen Satzes.

45. Aufgabe 1. Ein Kegelschnitt ist gegeben durch fünf Punkte. Durch einen derselben wird eine Gerade gezogen; man bestimme den zweiten Schnittpunkt derselben mit dem Kegelschnitte.

In Fig. 19 sind $abcde$ die fünf Punkte des Kegel-schnittes und 1 die durch a gezogene Gerade, deren zweiter Schnittpunkt x mit dem Kegelschnitte bestimmt werden soll. 1 sei die erste Seite des dem letzteren ein-geschriebenen Sechseckes, ab die zweite, bc die dritte, cd die vierte, de die fünfte und die Unbekannte ex die sechste. Dann schneiden sich

Figur 19.

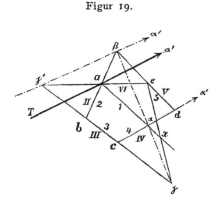

die gegenüberliegenden Seiten 1 und 4 in α, 2 und 5 in β, und es ist $\alpha\beta$ die Pascalgerade, auf welcher sich 3 und die un-bekannte Seite 6 schneiden müssen. 3 schneidet die Pascal-gerade in γ, daher ist γe die sechste Seite, und ihr Schnitt mit 1 der verlangte Punkt x.

Aufgabe 2. Ein Kegelschnitt ist gegeben durch fünf Punkte, man zeichne in einem derselben die Tangente.

Verlangt man (Fig. 19) die Tangente in a, so kann diese als die erste Seite (von unendlich kleiner Länge) des ein-geschriebenen Sechseckes, ab als die zweite, bc als dritte, cd als vierte, de als fünfte und ea als sechste betrachtet werden. Sie wurden in der Figur mit römischen Ziffern bezeichnet. III schneidet VI in γ', II in β V. $\gamma'\beta$ ist hier die Pascalgerade, welche von IV in α' geschnitten wird, daher $a\alpha'$ die Tan-gente in a.

Anmerkung. Sind von einem Kegelschnitte vier Punkte und die Richtung eines unendlich fernen Punktes gegeben, so kann man leicht mittelst des Pascal'schen Satzes entscheiden, ob eine Parabel oder Hyperbel vorliegt, indem man in dem unendlich fernen Punkte die Tangente sucht. Fällt dieselbe ins Unendliche, so ist der Kegelschnitt eine Parabel, sonst eine Hyperbel.

Zur Uebung. Von einer Hyperbel sind gegeben drei Punkte und die Asymptotenrichtungen. Man bestimme mittelst des Pascal'schen Satzes die Asymptoten selbst.

§ 14. Construction des Kegelschnittes aus zwei Tangenten mit den Berührungspunkten und einem dritten Punkte. Folgerungen.

46. Es seien (Fig. 20) A und B' die Tangenten, a und b ihre Berührungspunkte, c der dritte Punkt. Man denke sich von a und b sämtliche Punkte des zu zeichnenden Kegelschnittes projiciert, dann ist nach 42 $a(Abc..) \barwedge b(aB'c..)$. Diese Strahlenbüschel vervollständige man nach 15, indem man das Büschel a mit bc und jenes b mit ac schneidet, wodurch man die projectivischen Punktreihen abc und $a\beta'c$ erhält, die

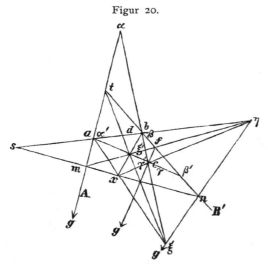

Figur 20.

sich in perspectivischer Lage befinden, da sich in c homologe Punkte decken. t der Schnittpunkt der beiden Tangenten $(a\alpha,\ b\beta')$ ist also hier das Vervollständigungscentrum. Zieht man daher durch t einen beliebigen Strahl, der bc in ξ und ac in ξ' schneidet, so sind $a\xi$ und $b\xi'$ homologe Strahlen der projectivischen Büschel, und ihr Schnittpunkt x ein neuer Punkt des Kegelschnittes. Man hat daher folgende einfache Construction eines Kegelschnittes aus zwei Tangenten AB', ihren Berührungspunkten a und b und einem dritten Punkte c gefunden:

Man ziehe ac und bc. Durch t ziehe man einen beliebigen

Strahl, welcher ac in ξ' und bc in ξ schneidet. Der Schnittpunkt von $a\xi$ mit $b\xi'$ ist ein Punkt x des Kegelschnittes.

Zusatz 1. Rücken die Berührungspunkte a und b ins
Unendliche, so wird der Kegelschnitt eine Hyperbel, deren
Asymptoten und ein Punkt gegeben sind. ac und bc werden
hierbei Parallele zu den Asymptoten, das Viereck $c\xi\xi'x$ wird
ein Parallelogramm, und man überzeugt sich leicht, dass das
Parallelogramm, welches entsteht, wenn man durch einen
Hyperbelpunkt Parallele zu den Asymptoten zieht, eine con-
stante Fläche hat.

Zusatz 2. Die vier Punkte $abcx$ bestimmen nach 24 ein
vollständiges Viereck, welches $\xi\xi'\eta$ zum Diagonaldreieck hat.
Man ersieht sogleich aus Fig. 20, dass irgend zwei Tangenten
in den Ecken des Viereckes sich auf jener Seite des Diagonaldreieckes schneiden, welche jenem Diagonalpunkt gegenüber-
liegt, durch welchen die Verbindungslinie der Ecken (Berührungssehne der Tangenten) hindurchgeht. So z. B. schneiden sich
die Tangenten in a und b auf $\xi\xi'$, weil ab durch η hindurchgeht. Mittelst dieser Eigenschaft kann man sehr leicht in
*zwei Punkten eines Kegelschnittes die Tangenten zeichnen, wenn
fünf Punkte $abcde$ desselben gegeben sind.*

Man zeichne zu dem vollständigen Vierecke $abcd$ jene
Seite des Diagonaldreieckes, durch deren gegenüberliegenden
Diagonalpunkt ab geht. Dasselbe mache man mit dem Vierecke $abce$. Wo sich dann die beiden Diagonaldreiecksseiten
schneiden, ist der Schnittpunkt der Tangenten in a und b.

Insbesondere führe man diese Construction für eine Hyperbel
aus, von der man drei Punkte und die Asymptotenrichtungen kennt.

47. **Der Berührungspunkt einer Kegelschnittstangente ist
der vierte harmonische Punkt zu dem Schnittpunkt derselben
mit der Berührungssehne zweier anderer Tangenten in Bezug auf die Schnittpunkte mit den beiden letzteren.**

Beweis. Da die Tangenten in a und x nach vorhergehendem sich auf $\xi'\eta$ schneiden müssen, so ist mx die Tangente in x und es soll gezeigt werden, dass $smxn$ vier harmonische Punkte sind. Vermöge des vollständigen Viereckes
$x\xi'c\xi$ sind nach 26. c. $adb\eta$ vier harmonische Punkte. Diese
werden von t aus als die vier harmonischen Punkte $m\xi'f\eta$
projiciert, und hierauf von b als jene $mxns$.

Zusatz 1. Ein Kegelschnitt ist durch zwei Tangenten
mit den Berührungspunkten und eine dritte Tangente bestimmt,
da man auf der letzteren den Berührungspunkt bestimmen kann.

Zusatz 2. Da bei der Hyperbel für die Asymptoten die Berührungssehne *a b* und folglich auch *s* Fig. 20 ins Unendliche fällt, so ist nach 23. *x* die Mitte von *mn*, d. h. **der Berührungspunkt halbiert die Hyperbeltangente zwischen den Asymptoten.** Zusatz 3. Da die unendlich fernen Punkte der Ebene nach 32 (Anmerkung) auf einer Geraden liegen, und die Parabel mit dieser nur einen Punkt gemein hat, so kann man auch sagen: **Die Parabel berührt die unendlich ferne Gerade ihrer Ebene.**

Die Parabel wird daher durch zwei Tangenten mit den Berührungspunkten bestimmt sein, da die unendlich ferne Gerade als dritte Tangente hinzutritt, und man wird die Richtung, in der der unendlich ferne Berührungspunkt gelegen ist, finden, wenn man den Schnittpunkt der beiden Tangenten mit der Mitte ihrer Berührungssehne verbindet.

48. **Ableitung neuer Tangenten eines Kegelschnittes, wenn zwei derselben mit den Berührungspunkten und noch eine dritte gegeben sind.** Da die Tangente in *c* sich mit der Tangente *B'* in *b* Fig. 20 auf der Seite $\eta\xi'$ des Diagonaldreieckes (siehe 44 Zusatz 2) schneiden muss, so ist *cf* die Tangente in *c*. Gehörig verlängert, müsste sich diese Tangente mit jener *A* in *g* auf $\eta\xi$ schneiden, und man sieht, dass die Verbindungslinien von *f* und *g* mit η die Tangenten *A* und *B'* in *m* und *n*, den Schnittpunkten der vierten mit der Transversalen $t\xi$ variierenden Tangente, schneiden. Nimmt man daher in der Berührungssehne *a b* zweier festen Tangenten *AB'* einen beliebigen Punkt η an und projiciert von demselben die Schnittpunkte *f* und *g* einer dritten Tangente mit den zwei festen Tangenten auf die letzteren, so erhält man die Punkte *m* und *n*, welche, mit einander verbunden, eine vierte Tangente liefern.

Zwei feste Tangenten eines Kegelschnittes werden von allen übrigen in zwei projectivischen Punktreihen geschnitten.

Beweis. Da *f* und *g* Fig. 20 bei der Variierung von η fest bleiben, so ist $f(m..) \barwedge g(n..)$ weil perspectivisch, daher auch die Punktreihe *m* projectivisch jener *n*.

Anmerkung. *f* und *g* sind auch homologe Punkte der beiden projectivischen Punktreihen. Man erhält sie als solche, wenn η in den Schnittpunkt von *fg* mit *ab* hineinfällt. Auch erkennt man leicht, wenn man η nach *b* beziehungsweise *a* gelangen lässt, dass *b* in der Punktreihe *m* zum homologen Punkte *t* hat, und ebenso auch *t* in jener *n* *a* entspricht.

49) **Ein Kegelschnitt ist durch fünf Tangenten bestimmt.**

Beweis. Man nehme zwei der Tangenten als feste Tangenten an. Die auf denselben nach 48. entstehenden projectivischen Punktreihen sind hierauf durch die drei weiteren Tangenten bestimmt, so dass man durch die Vervollständigung derselben weitere Tangenten, die Berührungspunkte auf den festen und allen übrigen Tangenten gewinnen kann.

Zusatz 1. Mittelst 27. folgt nun, dass **der Kegelschnitt eine Curve zweiter Classe ist.**

Zusatz 2. Aus 47. Zusatz 3 folgt nun, dass **die Parabel durch vier Tangenten bestimmt ist.**

50. **Das Erzeugnis projectivischer Punktreihen ist auch ein Kegelschnitt.**

Beweis. Man vervollständige die beiden projectivischen Punktreihen nach 13, denke sich ihre Träger als Tangenten eines Kegelschnittes, deren Berührungspunkte die Schnittpunkte derselben mit der Vervollständigungsachse sind. Denkt man sich dann ferner irgend eine Verbindungslinie homologer Punkte als Tangente des Kegelschnittes, so ist der letztere nach 47, Zusatz 1 vollkommen bestimmt, und hat nach 46 auch alle übrigen Verbindungslinien homologer Punkte zu Tangenten.

Zusatz 1. Soll der durch zwei projectivische Punktreihen bestimmte Kegelschnitt eine Parabel sein, so muss nach 47, Zusatz 3 die unendlich ferne Gerade unter seine Tangenten gehören, d. h. die unendlich fernen Punkte der beiden projectivischen Punktreihen müssen sich entsprechen, und demnach ist mittelst 8 **das Erzeugnis ähnlicher Punktreihen eine Parabel.**

Zusatz 2. Entsprechen dem Schnittpunkte der beiden Träger der projectivischen Punktreihen, je nachdem man denselben zu der einen oder anderen rechnet, die unendlich fernen Punkte beider Träger, so ist das Erzeugnis der Punktreihen eine Hyperbel, welche die Träger zu Asymptoten hat. Sucht man noch mittelst der gegebenen Tangente weitere Tangenten, so bemerkt man leicht den Satz, dass **die Hyperbeltangenten mit den Asymptoten Dreiecke von unveränderlicher Fläche bilden.**

§ 15. **Der Satz dès Brianchon.**

51. Dieser ist der reciproke Satz zu jenem des Pascal (siehe 14 und 43). Sechs Tangenten eines Kegelschnittes *ABCDEF* Fig. 21 bilden ein demselben umschriebenes Sechseck, dessen Ecken mit *1, 2, 3, 4, 5* und *6* bezeichnet wurden.

Gegenüberliegende Ecken sind *1* und *4*, *2* und *5*, *3* und *6*, und der Satz des Brianchon lautet:

Die Verbindungslinien gegenüberliegender Ecken schneiden sich in einem einzigen Punkte, dem Brianchonpunkt.

Figur 21.

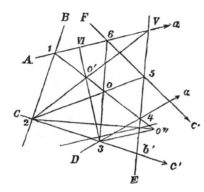

Beweis. Zwei Tangenten z. B. *A* und *C* werden von den übrigen nach 48 in zwei projectivischen Punktreihen geschnitten. Es ist also $1 a V6$ $\overline{\wedge} 2 3 b'c'$, daher auch $4(1 a V6)$ $\overline{\wedge} 5(2 3 b'c')$. Diese Strahlenbüschel befinden sich aber in perspectivischer Lage, da *4 V* und *5 b'* sich decken, es schneiden sich daher *41* und *52* in *o*, *4 a* und *53* in *3*, *46* und *5 c'* in *6* auf einer Geraden.

Aufgabe 1. Ein Kegelschnitt ist gegeben durch fünf Tangenten, man bestimme auf einer derselben den Berührungspunkt.

Bei der Auflösung wird der Berührungspunkt als der Schnittpunkt zweier unendlich naher Tangenten betrachtet. Soll derselbe z. B. auf der Tangente *A* (Figur 21) bestimmt werden, so betrachtet man denselben als den Punkt *VI* des umschriebenen Sechseckes. Der Schnittpunkt von *A* und *E* (die Tangente *F* hat man sich diesmal als nicht gegeben zu denken) ist hierauf *V*, *14* und *2V* schneiden sich in *o'*, und *3 o'* geht durch *VI*.

Aufgabe 2. Eine Parabel ist gegeben durch vier Tangenten; man bestimme die Richtung des unendlich fernen Punktes derselben.

Die Lösung erfolgt ähnlich wie jene der Aufgabe 1.

Aufgabe 3. Auf einer Tangente, z. B. *A* (Fig. 21) wird ein Punkt *6* angenommen. Man bestimme die zweite noch durch denselben gehende Tangente *F*.

Unbekannt ist hier die Ecke 5 des umschriebenen Sechseckes, welche durch die Verbindung von *2* mit *o* gefunden wird.

Zusatz. Lässt man *6* ins Unendliche rücken, so ergibt sich die Lösung der Aufgabe: Es ist zu einer Tangente des Kegelschnittes die zu ihr parallele Tangente zu finden.

Die Linie *36* wird diesmal parallel *A* und schneidet *14*

in o''. Durch den Schnittpunkt von $2o''$ mit E geht hierauf die zu A parallele Tangente.

§ 16. Krumme Punktinvolution. Pol und Polare.

52. **Die krumme Punktinvolution auf dem Kegelschnitte.** Eine Strahleninvolution besteht nach 20. aus zwei concentrischen projectivischen Strahlenbüscheln, in denen die homologen Strahlen einander vertauschbar entsprechen. Ein durch den Träger derselben hindurchgelegter Kegelschnitt wird daher nach 43. von den Strahlen in zwei krummen projectivischen Punktreihen geschnitten, deren homologen Punkte einander vertauschbar entsprechen, und die deshalb eine *krumme Punktinvolution* genannt werden. Eine solche krumme Punktinvolution wird von einem jeden Punkte des Kegelschnittes in einer Strahleninvolution projiciert, und ist demnach nach 20. durch zwei Paar homologe Elemente, die auf dem Kegelschnitte beliebig angenommen werden können, bestimmt.

Figur 22.

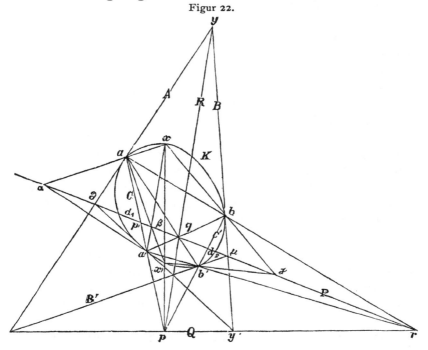

In Fig. 22 sei auf dem Kegelschnitte K die krumme Punktinvolution durch die homologen Punktepaare aa' und bb' gegeben. Nach 43. wird die Vervollständigungsachse P

der beiden krummen projectivischen in involutorischer Lage befindlichen Punktreihen als die Verbindungslinie qr der Schnittpunkte von ab' mit $a'b$ und ab mit $a'b'$ gefunden, und *Polare* der krummen Involution genannt.

Mittelst der Polaren kann die krumme Involution nach 43. vervollständigt werden. Um z. B. zu x (Fig. 22) den homologen Punkt x' zu finden, verbindet man x mit a'. $a'x$ schneidet die Polare in β, und $a\beta$ noch einmal den Kegelschnitt in x'.

Da man aber auch x zur gestrichelten Punktreihe rechnen kann und dann x' zur ungestrichelten gerechnet als homologen Punkt erhält, so müssen sich auch ax und $a'x'$ in α auf der Polaren schneiden. Nach 43. bleibt aber die Vervollständigungsachse dieselbe, ob man aa' oder ein anderes Paar homologer Punkte z. B. bb' als Träger der projectivischen Strahlenbüschel annimmt, es müssen sich daher auch bx und $b'x'$ in γ und bx' und $b'x$ auf der Polaren schneiden, d. h. **die Verbindungslinie zweier Punkte einer krummen Punktinvolution schneidet sich mit der Verbindungslinie ihrer homologen Punkte auf der Polaren.**

Die Tangenten in den homologen Punkten einer krummen Punktinvolution schneiden sich auf der Polaren.

Beweis. Wird x unendlich nahe an a angenommen, so geht die Verbindungslinie ax in die Kegelschnittstangente A (Fig. 22) in a über, welche die Polare in δ schneidet. Der Continuität projectivischer Gebilde wegen (s. 18) fällt dann auch x' unendlich nahe an a'. $a'x'$ ist dann die Tangente A' in a', und da die Eigenschaft, dass ax und $a'x'$ sich auf P schneiden, bestehen bleibt, so geht auch A' durch δ.

Jede Gerade in der Ebene eines Kegelschnittes kann als die Polare einer auf demselben gelegenen krummen Punktinvolution betrachtet werden

Beweis. Man nehme Fig. 22 auf der Geraden P zwei Punkte δ und μ so an, dass sich von denselben an den Kegelschnitt Tangenten mit den Berührungspunkten aa' beziehungsweise bb' ziehen lassen. Die zwei Paar Punkte bestimmen eine krumme Involution, deren Polare die gegebene Gerade ist.

Die Verbindungslinien homologer Punkte einer krummen Involution gehen durch einen festen Punkt, den Pol derselben.

Beweis. bb' stellt irgend ein homologes Punktepaar der krummen Involution dar. Die vier Punkte $bb'qr$ bilden ein vollständiges Viereck, daher sind nach 26. c. $ap'\,a'p$ vier

harmonische Punkte. Da sich mit bb' weder aa' noch p'
ändert, so ist p ein fester Punkt.

Zusatz. **Zieht man durch den Pol eine Secante des
Kegelschnittes, so werden die auf derselben gelegenen Schnittpunkte durch Pol und Polare harmonisch getrennt.**

Aufgabe. Eine durch zwei Paar homologe Punkte aa'
und bb' gegebene krumme Involution soll mittelst des Poles
vervollständigt werden.

Man bringe aa' mit bb' zum Schnitt, wodurch man den
Pol p der Involution erhält. Ist zu x der homologe Punkt x'
zu finden, so verbinde man x mit p, welcher Strahl hierauf
den Kegelschnitt noch einmal in x' schneidet.

Lassen sich vom Pole Tangenten an den Kegelschnitt
ziehen, so sagt man, *der Punkt p liegt ausserhalb des Kegelschnittes.* Die Berührungspunkte der Tangenten sind selbstentsprechende Punkte, also die reellen Doppelpunkte d_1 und
d_2 (Fig. 22) der krummen Involution. Durch dieselben muss
die Polare hindurchgehen. Die letztere ist also die Berührungssehne der vom Pol aus möglichen Tangenten.

Lassen sich vom Pol aus keine Tangenten an den
Kegelschnitt ziehen, so sagt man, derselbe *liegt innerhalb des
Kegelschnittes,* die Polare schneidet dann den Kegelschnitt
nicht, und die Involution hat imiginäre Doppelpunkte.

Liegt endlich der Pol auf dem Kegelschnitte selbst, so
fallen die reellen Doppelpunkte zusammen, die Polare ist die
Tangente im Pol an den Kegelschnitt, und alle Punkte haben
zu ihren homologen den Pol.

**Jeder Punkt in der Ebene eines Kegelschnittes kann als
der Pol einer krummen auf demselben gelegenen Involution
betrachtet werden, und besitzt demnach eine ganz bestimmte
Polare.**

Beweis. Man ziehe durch den Punkt p (Fig. 22) zwei
Strahlen, die den Kegelschnitt in den Punktepaaren aa' und
bb' schneiden. Die letzteren bestimmen eine krumme Involution, deren Pol der gegebene Punkt ist.

53. Die vier Punkte $aa'bb'$ (Fig. 22) bilden ein vollständiges Viereck, dessen Diagonaldreieck pqr ist, und man sieht,
dass die Polare der Ecke p des Diagonaldreieckes die gegenüberliegende Seite qr desselben ist. Ebenso ist pr oder Q
die Polare von q, und pq oder R jene von r.

Hält man aa' fest und lässt man b variieren, so ändern
sich mit b auch q und r, und es kann z. B. r als Repräsen-

tant eines jeden Punktes der Geraden P betrachtet werden.
Die Polare von r geht aber dabei beständig durch p, d. h.
**Liegt ein Punkt in einer Geraden, so geht seine Polare
durch den Pol der letzteren.**

Da aber R eine jede durch p gezogene Gerade vorstellen
kann, so **liegt der Pol einer jeden durch einen Punkt gehenden
Geraden auf der Polaren des Punktes.**

Es folgt auch, dass **der Pol der Verbindungslinie zweier
Punkte der Schnittpunkt ihrer Polaren ist** und dass **die Polare des Schnittpunktes zweier Geraden die Verbindungslinie
ihrer Pole ist.**

54. **Conjugierte Pole und Polaren. Ein Tripel conjugierte Pole.** Zwei Punkte in der Ebene eines Kegelschnittes
von der Lage, dass die Polare des einen durch den anderen
hindurchgeht, werden *conjugierte* oder *reciproke Punkte* oder
Pole genannt. Solche sind z. B. in Fig. 22 p und r, p und q,
q und r, α und β.

Zwei Geraden von der Lage, dass der Pol der einen
auf der anderen gelegen ist, heissen *conjugierte* oder *reciproke
Geraden* oder *Polaren*. In Fig. 22 sind P und Q, P und R,
R und Q reciproke Geraden.

Drei Punkte von der Lage, dass die Polare des einen
die Verbindungslinie der beiden anderen ist, werden ein *Tripel
conjugierter Punkte* oder *Pole* genannt. Das von ihnen ge-
bildete Dreieck heisst auch *Poldreieck* oder *conjugiertes Dreieck*. In Fig. 22 ist pqr ein solches.

**Die auf einer Geraden gelegenen conjugierten Pole bilden
eine Punktinvolution, deren Doppelpunkte die Schnittpunkte
der Geraden mit dem Kegelschnitte sind.**

Beweis. Durchläuft in Fig. 22 b den Kegelschnitt, so
ist nach 42. $a \, (b\,b'\,x\,x') \barwedge a' \, (b\,b'\,x\,x')$. Diese beiden Strahlenbüschel werden von P in den projectivischen Punktreihen
$r\,q\,\alpha\,\beta$ und $q\,r\,\beta\,\alpha$ geschnitten, die eine Involution bilden, da
die Elemente einander vertauschbar entsprechen, und man
erkennt leicht, dass $d_1\,d_2$ die Doppelpunkte der Involution sind.

**Die durch einen Punkt hindurchgehenden conjugierten
Polaren bilden eine Strahleninvolution, deren Doppelstrahlen
die Tangenten von dem Punkte an den Kegelschnitt sind.**

Beweis. Projiciert man von p aus die Involution $q\,r$,
so erhält man die Strahleninvolution $Q\,R$.

55. **Projectivische Punktreihen und Strahlenbüschel.**
Eine Punktreihe und ein Strahlenbüschel werden *projectivisch*
genannt, wenn die erstere von einem Punkte aus in einem

dem letzteren projectivischen Büschel projiciert wird, oder wenn das Strahlenbüschel von einer Geraden in einer Punktreihe geschnitten wird, die mit der gegebenen projectivisch ist.

Eine Punktreihe ist mit dem Strahlenbüschel ihrer Polaren projectivisch.

Beweis. In Fig. 22 ist die Punktreihe r dem Strahlenbüschel ihrer Polaren R projectivisch, denn letzteres wird von P in der Punktreihe q geschnitten, welche mit jener r eine Involution bildet.

Zusatz. Ist eine Punktreihe mit einem Strahlenbüschel projectivisch, so ist sie auch zu einer jeden Punktreihe (oder einem jeden Strahlenbüschel) die (das) dem letzteren projectivisch ist, auch projectivisch.

56. **Aufgaben.** 1. Ein Kegelschnitt ist gegeben durch fünf Punkte $a\,b\,c\,d\,e$; man bestimme zu einem Punkte p die Polare.

Man ziehe z. B. $p\,a$ und suche den zweiten Schnittpunkt a' dieser Geraden mit dem Kegelschnitte mittelst des Pascalschen Satzes (s. 45, Aufgabe 1). Dasselbe mache man mit $p\,b$, dann bestimmen $a\,a'\,b\,b'$ ein vollständiges Viereck, dessen durch p nicht hindurchgehende Seite des Diagonaldreieckes die verlangte Polare ist. (s. 53.)

Anmerkung. Ist der Kegelschnitt durch andere Stücke gegeben, so kann die Lösung auf diesen Fall zurückgeführt werden.

Zur Uebung. Die Hyperbel ist gegeben durch die Asymptoten und einen Punkt, man bestimme zu einem Punkte die Polare.

Hilfssatz. **Vier Tangenten eines Kegelschnittes bilden ein vollständiges Vierseit, welches dasselbe Diagonaldreieck hat wie das vollständige Viereck, welches von ihren Berührungspunkten gebildet wird.**

Beweis. Die Tangenten in den vier Punkten $a\,a'\,b\,b'$ (Fig. 22) bilden das vollständige Vierseit $A\,A'\,B\,B'$. A und B müssen sich auf R schneiden, und ebenso auch A' und B', denn $a\,b$ und $a'\,b'$ sind homologe Punktepaare in der Involution mit dem Pole r und der Polaren R. Ebenso sind $a\,b'$ und $a'\,b$ homologe Punktepaare in der Involution mit dem Pole q und der Polaren Q, daher müssen sich A und B', und ebenso A' und B auf Q schneiden.

Anmerkung. Folgt auch aus 46, Zusatz 2. Fig. 20.

2. Von einem Kegelschnitt sind gegeben fünf Tangenten
$ABCDE$; man bestimme zu einer Geraden P den Pol.

Man bringe z. B. die Tangente A zum Schnitt mit P
und bestimme mittelst des Brianchon'schen Satzes die noch
durch diesen Schnittpunkt hindurchgehende Tangente A' an
den Kegelschnitt (siehe 51, Aufgabe 3). Ebenso bestimme
man zu B die Tangente B'. $A A' B B'$ bilden ein vollständiges Vierseit, bei welchem P die eine Seite des Diagonaldreieckes ist. Die gegenüberliegende Ecke ist mittelst des Hilfssatzes der verlangte Pol.

Zur Uebung. Die Parabel ist gegeben durch vier
Tangenten, man bestimme zu einer Geraden den Pol.

§ 17. Vervollständigung der Punkt- und Strahleninvolutionen mittelst des Kreises. Folgerungen.

57. a) **Punktinvolution.** Dieselbe sei nach einer der in
19. unter 1 bis 5 angeführten Arten gegeben. Man nehme
ausserhalb des Trägers G der Involution einen Punkt o an.
Von diesem aus projiciere man die Involution, wodurch man
eine Strahleninvolution erhält. Diese schneidet man mit
einem durch o gelegten Kreis K, wodurch man auf demselben nach 52. eine krumme Punktinvolution erhält, deren
Pol p man ebenfalls nach 52. findet. Um zu x den homologen
Punkt x' zu finden, verbindet man o mit x, welcher Strahl
K noch einmal in ξ schneidet. ξ mit p verbunden schneidet
K noch einmal in ξ', und endlich $o\xi'$ den Träger G in x'.
Hat die krumme Involution reelle Doppelpunkte, so erhält
man durch deren Projection von o auf G die Doppelpunkte
der gegebenen Involution.

Anmerkung. Ist der Centralpunkt i statt eines Punktepaares gegeben, so ist der oi entsprechende Strahl die durch
o zu G gezogene Parallele. Ist ein Doppelpunkt d gegeben,
so liegt p auf der Tangente des Schnittpunktes von od mit K.

b) **Strahleninvolution.** Dieselbe sei nach einer der in
20. unter 1—3 angeführten Arten gegeben. Man lege durch
ihren Träger o einen Kreis K, welcher sie nach einer krummen Involution schneidet, deren Pol p man bestimmt. Schneidet der Strahl ox, dessen homologen ox' man bestimmen
soll, K in ξ, so schneidet $p\xi$ den Kreis noch einmal in ξ',
und $o\xi'$ ist der verlangte Strahl ox'.

Anmerkung. Sind Doppelstrahlen gegeben, so werden diese K in den Doppelpunkten der krummen Involution schneiden, und p wird in den Tangenten in denselben an K liegen.

58. **Folgerungen. 1. In jeder Strahleninvolution giebt es ein Paar homologe auf einander senkrecht stehende Strahlen.**

Beweis. Man schneide die Strahleninvolution durch einen Kreis K, der durch den Träger o derselben hindurchgeht, und dessen Mittelpunkt m sei. Dadurch entsteht eine krumme Punktinvolution mit dem Pole p. pm muss den Kreis schneiden, und verbindet man diese Schnittpunkte mit o, so erhält man das einen rechten Winkel bildende homologe Strahlenpaar.

2. Giebt es in einer Strahleninvolution zwei rechtwinkelige Strahlenpaare, so steht überhaupt ein jeder Strahl auf seinem homologen senkrecht, und die Involution hat imaginäre Doppelstrahlen.

Beweis. Es seien in einer Strahleninvolution AoA' und BoB' zwei rechte Winkel. Man lege durch o einen Kreis vom Mittelpunkte m, welcher die Strahlenpaare in den Punktepaaren aa' und bb' schneidet. Der rechten Winkel wegen müssen die Geraden aa' und bb' durch m hindurchgehen, und es ist daher m der Pol der Involution. Irgend ein beliebiges Paar der Strahleninvolution findet man, wenn man durch m einen Durchmesser zieht und seine Endpunkte mit o verbindet, wodurch man wieder einen rechten Winkel erhält, und da sich von m keine Tangenten an den Kreis ziehen lassen, so giebt es keine reellen Doppelstrahlen.

3. Zwei conlocale Involutionen haben immer ein gemeinschaftliches Elementenpaar nur in dem Falle nicht, wo sie reelle Elemente haben, die sich gegenseitig trennen.

Beweis. a) für conlocale Strahleninvolutionen. Man lege durch den gemeinschaftlichen Träger derselben einen Kreis, welcher sie in zwei krummen Punktinvolutionen schneidet, deren Pole p_1 und p_2 sind. Man überzeugt sich leicht, dass die Gerade $p_1 p_2$ immer den Kreis schneiden muss, ausgenommen den Fall, wo beide Strahleninvolutionen reelle Doppelpunkte haben, die sich gegenseitig trennen.

b) für conlocale Punktinvolutionen. Man nehme ausserhalb des gemeinschaftlichen Trägers einen Punkt o an, projiciere von demselben die Involutionen, wodurch man zwei conlocale Strahleninvolutionen erhält. Diese haben nur dann, und folglich auch die Punktreihen, kein gemeinschaftliches

4*

Elementenpaar, wenn ihre reellen Doppelstrahlen sich gegenseitig trennen. Dann haben aber auch die Punktinvolutionen
reelle, sich trennende Doppelpunkte.

§ 18. Benützung der Projectivität zur Lösung geometrischer Aufgaben. Methode der falschen Position.

59. Dieselbe soll an folgender Aufgabe erläutert werden:
Von einem Dreiecke ABC (Fig. 23) ist gegeben die den
Winkel bei A halbierende Transversale AO der Länge nach,
und die Entfernungen m und n der Ecken B und C von
derselben. Das Dreieck soll gezeichnet werden.*)

Man ziehe oberhalb AO eine Parallele P in der Entfernung m und unterhalb AO eine Parallele Q in der Entfernung n, dann müssen B und C auf P, beziehungsweise Q
gelegen sein. Zieht man durch A nach oben den Strahl Aa
unter dem Winkel w zu AO, und ebenso unter dem ∢ w

Figur 23.

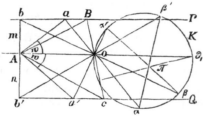

den Strahl Aa' nach unten,
so wäre das verlangte Dreieck gefunden, wenn Oa und
Oa' in eine Gerade fielen.
Lässt man w variieren, so
ist $A(a) \barwedge A(a')$ weil congruent, daher sind auch die
Punktreihen a und a' projectivisch, und demnach O
(a) und $O(a')$ zwei concen-
trische projectivische Strahlenbüschel. Haben diese einen
Doppelstrahl, so ist derselbe die gesuchte Dreiecksseite BC.
Es handelt sich also darum die Doppelstrahlen der conlocalen
projectivischen Strahlenbüschel zu finden. Einer derselben
ist OA, was man leicht erkennt, wenn man w Null werden
lässt. Zur vollständigen Bestimmung der projectivischen,
conlocalen Strahlenbüschel braucht man daher noch ein Paar
homologe Strahlen, welche man dadurch erhält, dass man den
Strahl Aa noch einmal in eine falsche Position bringt, am
bequemsten, indem man ∢ w gleich 90^0 annimmt, wodurch
man die entsprechenden Strahlen Ob und Ob' erhält. Nun
legt man durch O den Kreis K, welcher die projectivischen,
conlocalen Strahlenbüschel in den krummen, projectivischen

---

*) Zeitschrift für mathematischen und naturwissenschaftlichen Unterricht.
Leipzig 1888.

Punktreihen $\alpha\beta\delta_1$ und $\alpha'\beta'\delta_1$ schneidet. Treffen sich $\alpha\beta'$ und $\alpha'\beta$ in π, so ist $\delta_1\pi$ die Vervollständigungsachse, welche K noch einmal in δ_2 schneidet, daher ist $O\delta_2$ der zweite Doppelstrahl oder die Dreiecksseite BC.

§ 19. Reciprok-polare Figuren.

60. Zu einer Figur findet man die reciproke (siehe 14), wenn man zu allen Punkten derselben in Bezug auf einen festen Kegelschnitt, den *Fundamentalkegelschnitt,* die Polaren und zu allen Geraden die Pole sucht. Es treten dann in der That an Stelle der Punkte der ursprünglichen Figur Gerade, an jene der letzteren Punkte und mittelst 53. an Stelle der Verbindungslinien zweier Punkte die Schnittpunkte der entsprechenden Geraden und umgekehrt.

Die so erhaltene reciproke Figur wird auch zum Unterschiede von jener, die man sich ohne Fundamentalkegelschnitt entstanden denken mag, die *reciprok-polare* genannt. Zu einer Figur die reciprok-polare Figur suchen, heisst dieselbe *polarisieren.* Alle Figuren und die reciprok-polaren Figuren zu denselben in Bezug auf den nämlichen Fundamentalkegelschnitt heissen ein *Polarsystem.* Es giebt demnach unendlich viele Polarsysteme.

Die reciprok-polare Figur zu einem Kegelschnitt ist wieder ein Kegelschnitt, und zwar sind die Punkte des letzteren die Pole der Tangenten des ersteren, und die Polaren der Punkte des ersteren sind die Tangenten des letzteren.

Beweis. Man nehme auf dem Kegelschnitte K, welcher polarisiert werden soll, zwei feste Punkte o_1 und o_2 an, und lasse einen dritten x denselben durchlaufen. Dann ist nach 42. $o_1(x..) \barwedge o_2(x..)$. Die Polare von o_1 sei O_1, jene von o_2 O_2. Der Strahl $o_1 x$ werde mit A_1, jener $o_2 x$ mit A_2 bezeichnet. a_1 der Pol von A_1 liegt hierauf nach 53. auf O_1, a_2 jener von A_2 auf O_2, und es ist X die Verbindungslinie von $a_1 a_2$ die Polare von x. Nun ist aber nach 55. die Punktreihe a_1 projectivisch dem Strahlenbüschel ihrer Polaren A_1 oder $o_1(x..)$, daher auch $a \barwedge o_2(x..)$. Aber das Strahlenbüschel $o_2(x..)$ oder A_2 ist projectivisch der Punktreihe a_2, daher auch $a_1 \barwedge a_2$, und demnach hüllen die Verbindungslinien X nach 50. einen Kegelschnitt K' ein.

Einem zweiten Punkte y auf K wird demnach eine Tangente Y an K' entsprechen. Der Verbindungslinie S von

xy entspricht hierauf als Pol der Schnittpunkt *s* von *X* und
Y. Rückt *y* unendlich nahe an *x*, so übergeht die Sekante
S in die Tangente in *x* an *K* über. Dann rückt aber auch
Y unendlich nahe an *X*, und *s* der Pol zur Tangente *S* wird
der Berührungspunkt auf *X*.

**In jedem Polarsystem entspricht einem Paar Pol und
Polare wieder ein Paar Pol und Polare in Bezug auf den
reciproken Kegelschnitt.**

Figur 24.

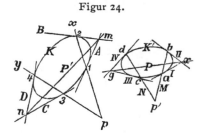

Beweis. Es sei in Fig. 24
P' die Polare von *p* in Bezug
auf den Kegelschnitt *K*. Zieht
man durch *p* irgend einen
Strahl *X*, der *K* in 1 und 2
schneidet, so müssen sich die
Tangenten *A* und *B* in den
Schnittpunkten in *m* auf *P'*
schneiden. Ist *K'* der reciprok-
polare Kegelschnitt zu *K*, so ist die Polare zu 1 die Tangente *I*
an *K'*, jene zu 2 die Tangente *II*, und der Schnittpunkt *x* der
letzteren der Pol zu *X* in Bezug auf den Fundamentalkegelschnitt *F*. *A* hat zum Pol den Berührungspunkt *a* auf *I*, *B* jenen
b auf *II*, daher *ba* oder *M* die Polare zu *m* in Bezug auf *F*.
Man kann aber durch *p* noch einen Strahl *Y* ziehen, der *K* in 3
und 4 schneidet. Die Tangenten in diesen Schnittpunkten *C*
und *D* müssen sich auch auf *P'* in *n* schneiden. Die Polaren
von 3 und 4 in Bezug auf *F* sind die Tangenten *III* und *IV*
an *K'*, deren Schnittpunkt *y* demnach der Pol zu *Y* ist. *C*
hat zum Pol *c*, den Berührungspunkt von *III*, *D* jenen *d* auf
IV, *cd* oder *N* ist demnach die Polare von *n* in Bezug auf
F. Die Verbindungslinie *nm* oder *P'* ist demnach die Polare
zum Schnittpunkte *p'*, von *M* und *N*, *p* der Schnittpunkt von
X Y ist der Pol zu *P* oder *xy*, und man sieht, dass *p'* auch
der Pol von *P* ist in Bezug auf *K'*.

**In jedem Polarsystem entsprechen einem Paar conju-
gierter Punkte ein Paar conjugierte Geraden.**

Beweis. Es seien *a* und *b* ein Paar conjugierte Punkte
in Bezug auf *K*, d. h. die Polare A_1 von *a* geht durch *b*. *a*
habe nun in Bezug auf den Fundamentalkegelschnitt *F* die
Polare *A*, *b* jene *B* und es ist nun zu zeigen, dass der Pol
von *A* in Bezug auf K_1 auf *B* liegt. Es sei a_1 der Pol von
A_1 in Bezug auf *F*, so muss dieser auf *B* liegen, da A_1 durch

b geht. a_1 ist aber nach vorhergehendem Satze der Pol zu A in Bezug auf K_1, daher A und B conjugiert.

Einem Tripel conjugierter Pole entspricht in der polarisierten Figur ein conjugiertes Dreieck.

Folgt unmittelbar aus dem vorhergehenden Satze.

61. Die reciprok-polare Figur zu einer gegebenen Figur zeigt die duale Eigenschaft (s. 14) der letzteren. Zeichnet sich z. B. die letztere dadurch aus, dass in ihr mehrere Gerade in einem Punkte sich schneiden, so liegen die sie in der reciprok-polaren Figur vertretenden Punkte in einer Geraden, der Polaren ihres Schnittpunktes.

Da die polare Figur eines Kegelschnittes nach 60. wieder ein Kegelschnitt ist, so folgt daraus, dass, wenn man für den Kegelschnitt einen Satz kennt, auch hiermit schon der duale Satz bewiesen ist, was noch an folgendem Beispiele klar gemacht werden soll.

Es wird angenommen, dass der Satz des *Pascal* bereits bekannt ist, jener des *Brianchon* noch nicht, wie es auch der historischen Entwickelung entspricht.*) Einem Kegelschnitte K wird ein Sechsseit $ABCDEF$ umschrieben und zu der entstandenen Figur die reciprok-polare Figur mittelst des Fundamentalkegelschnittes F gesucht. Den Tangenten $ABCDEF$ des Kegelschnittes K entsprechen dann nach 60. Punkte des Kegelschnittes K', also dem umschriebenen Sechsseit ein eingeschriebenes Sechseck. Die Ecken des ersteren werden der Reihe nach mit *1, 2, 3, 4, 5, 6* bezeichnet, diese haben dann zu Polaren in Bezug auf den Fundamentalkegelschnitt die Seiten *I, II, III, IV, V, VI* des eingeschriebenen Sechseckes. Nun schneiden sich zwei gegenüberliegende Seiten des letzteren, z. B. *I* und *IV*, in x auf der Pascalgeraden P. x hat zur Polaren in Bezug auf den Fundamentalkegelschnitt X, die Verbindungslinie von *1* und *2*, und diese muss durch einen festen Punkt p, den Pol der Pascalgeraden gehen. Dies gilt aber auch von *25* und *36*, daher mittelst des Pascal'schen Satzes auch jener des Brianchon bewiesen.

Aus dem Gesagten folgt auch, dass, wenn man die Lösung einer Kegelschnittsaufgabe findet, auch jene der *dualen Aufgabe* bekannt ist, und dass man die letztere aus der ersten durch Polarisation erhält.

---

*) Der Pascal'sche Satz erschien zuerst 1640, der Satz des Brianchon 1806.

§ 20. Construction von Kegelschnitten aus reellen und imaginären Bestimmungsstücken.

62. Zwei Punkte eines Kegelschnittes kann man durch ihre Verbindungslinie und die auf derselben entstehende Involution conjugierter Pole ersetzen (s. 54). Wird die Involution so gewählt, dass sie reelle Doppelpunkte hat, so sind auch die Kegelschnittspunkte reell; sind die Doppelpunkte imaginär, so sagt man, **vom Kegelschnitt** sind **zwei imaginäre Schnittpunkte gegeben.**

Zwei Tangenten eines Kegelschnittes kann man durch die durch ihren Schnittpunkt bestimmte Involution conjugierter Polaren ersetzen (s. 54). Nimmt man die Involution so an, dass sie reelle Doppelstrahlen besitzt, so sind die Tangenten des Kegelschnittes wirklich vorhanden, sind sie imaginär, so sagt man, vom Kegelschnitte sind **zwei imaginäre Tangenten gegeben.**

Giebt man von einem Kegelschnitte Pol und Polare und die um ersteren entstehende Involution conjugierter Polaren, oder, was dasselbe ist, die auf der Polaren entstehende Involution conjugierter Pole, so sind, wenn die Involution reelle Doppelelemente besitzt, zwei reelle Tangenten mit ihren Berührungspunkten gegeben. Sind die Doppelelemente imaginär, so sagt man, vom Kegelschnitt sind **zwei imaginäre Tangenten mit den** (selbstverständlich auch imaginären) **Berührungspunkten gegeben.**

63. **Ein Kegelschnitt soll gezeichnet werden, von dem gegeben sind zwei imaginäre und drei reelle Punkte.**

Die imaginären Punkte sind durch eine Polare P und die auf derselben gelegene Involution conjugierter Pole mit den Punktepaaren mm', nn' gegeben. Die reellen Punkte seien a, b und c.

P bestimmt nach 52. auf dem zu zeichnenden Kegelschnitt eine Involution conjugierter Pole. In derselben sei a' der homologe Punkt zu a. Hätte man denselben, so könnte man weitere Punkte des Kegelschnittes finden, wenn man a mit einem Punkte der Involution verbindet und diesen Strahl mit der Verbindungslinie von a' mit dem homologen Punkte schneidet. Man kann sich daher a' verschaffen, wenn man ab zum Schnitt mit P in x bringt, hierauf zu x den homologen Punkt x' in der Involution sucht und bx zum Schnitt a' mit cy' bringt, wenn y' der homologe Punkt zu y, dem Schnittpunkte von ac mit P ist. Nun schneiden sich am und $a'm'$ in einem neuen Punkte des Kegelschnittes und die Zeichnung des letzteren kommt auf die Vervollständigung der Involution auf P hinaus.

Ist z' der homologe Punkt zu z, dem Schnittpunkte von aa' mit P, so sind az' und $a'z'$ Tangenten an den Kegelschnitt mit den Berührungspunkten aa', und der letztere kann weiter ohne Benützung der Involution nach 46. gezeichnet werden. Einer oder zwei reelle Punkte können ins Unendliche fallen. Im letzteren Falle ergiebt sich die Aufgabe: **Eine Hyperbel, die man zeichnen soll, ist durch die Asymptotenrichtungen, einen reellen und zwei imaginäre Punkte gegeben.**

An Stelle zweier Punkte, z. B. a und b, kann die Tangente A und ihr Berührungspunkt a treten. An die Stelle der Verbindungslinie ab tritt jetzt A und ax' an jene von bx'. Sonst bleibt alles dasselbe. Aus diesem Falle ergeben sich folgende Hyperbelaufgaben:

Von einer Hyperbel sind ausser einem Paar imaginärer Punkte gegeben: 1) **eine Asymptote und ein reeller Punkt,** 2) **eine Asymptote und die Richtung der anderen.**

Fällt die Tangente sammt dem Berührungspunkte ins Unendliche, so ergiebt sich die Aufgabe: **Man zeichne eine Parabel, von der gegeben sind zwei imaginäre Punkte, ein reeller Punkt und die Richtung ihres unendlich fernen Punktes.**

Die reciproke Aufgabe zu jener 63. lautet: **Man zeichne einen Kegelschnitt, von dem gegeben sind ein Paar imaginäre und drei reelle Tangenten.**

Die imaginären Tangenten sind durch eine Strahleninvolution mit dem Träger p und den homologen Strahlen MM', NN' gegeben. Die reellen Tangenten sind A, B und C.

Die Lösung dieser Aufgabe kann man direct oder durch Polarisation (s. 60—61) der Vorhergehenden finden. Hier sollen noch einmal beide Wege eingeschlagen werden, später aber immer auf den letzteren verwiesen werden.

a) Directe Auflösung. In Fig. 22 sieht man leicht, dass, wenn man von p aus die Schnittpunkte y, y' einer beliebigen Tangente B mit zwei auf der Polaren von p sich schneidenden Tangenten A und A' projiciert, man zwei homologe Strahlen R und Q der Involution conjugierter Polaren erhält, deren Träger p ist.

Schneidet demnach in unserem Falle B die Tnagente A

in y und ist y' der Schnittpunkt des homologen Strahles zu py in der Involution p mit B, so muss durch y' A' gehen. Ebenso muss A' durch z' auf C gehen, wenn pz' der homologe Strahl zu pz und z der Schnittpunkt von A mit C ist. Schneidet nun MA in u, $M'A'$ in u', so ist uu' eine neue Tangente des Kegelschnittes, und man könnte denselben mittelst Tangenten durch Vervollständigung der Involution $p(MM'NN')$ zeichnen. Schneiden sich A und A' in δ, so schneidet der homologe Strahl zu $p\delta$ A und A' in den Berührungspunkten aa', und es kann der Kegelschnitt nun mittelst 47, Zusatz 1, punktweise construiert werden.

b) **Auflösung durch Polarisation der vorhergehenden Aufgabe.** An Stelle der Verbindungslinie der beiden gegebenen Punkte a und b tritt jetzt der Schnittpunkt der gegebenen Tangenten A und B. ab wurde zum Schnitt mit P gebracht, daher hat man jetzt den Schnittpunkt AB*) mit p zu verbinden. Zum Schnittpunkte wurde in der Punktinvolution der homologe Punkt gesucht, man hat daher jetzt zu der Verbindungslinie den homologen Strahl in der Strahleninvolution zu suchen. Der homologe Punkt wurde mit b verbunden, der homologe Strahl ist also mit B zu schneiden. Mit c wurde ferner dasselbe wie mit b gemacht, man hat daher mit der Tangente C dasselbe wie mit B zu machen u. s. w. f.

Besondere Fälle. Von einer Parabel sind ausser dem Paare imaginärer Tangenten a) zwei reelle Tangenten, b) eine Tangente mit dem Berührungspunkte, c) die Richtung des unendlich fernen Punktes und eine Tangente gegeben.

Von einer Hyperbel kann man eine Asymptote, eine Tangente und ein Paar imaginäre Tangenten geben.

64. **Von einem Kegelschnitt sind gegeben zwei Paar imaginäre und ein reeller Punkt.**

Die imaginären Punkte sind gegeben durch zwei Polaren P und Q und die auf denselben gelegenen Involutionen mm', nn' beziehungsweise uu', rr'. Der reelle Punkt sei b. P und Q schneiden sich in s. s' sei der homologe Punkt zu s in der Involution auf P, σ' jener auf Q, dann ist $s'\sigma'$ die Polare S von s. Auf S muss nach 53. sowohl der Pol p von P, als auch jener q von Q liegen. S wird den Kegelschnitt in zwei Punkten aa' schneiden. Kennt man diese, so kann man den

---

*) Der Schnittpunkt zweier Geraden A und B kann auch kurz mit AB bezeichnet werden.

Kegelschnitt weiter nach 63. zeichnen. Projiciert man von b aus die Punkte aa', so erhält man sowohl auf P als auch auf Q homologe Punktepaare der Involutionen. Projiciert man demnach von b aus die Involutionen auf P und Q, so erhält man zwei conlocale Strahleninvolutionen, deren nach 58, 3. vorhandenes, gemeinschaftliches Strahlenpaar ba und ba' ist. Bestimmt man daher dieses, so schneidet es S in a und a'. Zugleich sind nach 52. sa und sa' die Tangenten an den Kegelschnitt und kann derselbe demnach weiter nach 46. construiert werden.

Der Punkt b kann auch im Unendlichen angenommen werden. Die reciproke Aufgabe lautet: **Man zeichne einen Kegelschnitt, der durch zwei Paar imaginäre und eine reelle Tangente gegeben ist.** Soll der Kegelschnitt eine Parabel werden, so muss die reelle Tangente im Unendlichen liegen.

65. Ein Kegelschnitt soll gezeichnet werden, der durch ein Paar imaginäre Tangenten mit den Berührungspunkten und noch einen Punkt gegeben ist.

Die imaginären Tangenten sammt den Berührungspunkten sind nach 62. durch einen Pol p, die zugehörige Polare P und die auf letzterer entstehende Involution conjugierter Pole gegeben. Der reelle Punkt sei a. Schneidet pa die Polare P in x und ist a' der vierte harmonische Punkt zu a in Bezug auf p und x, so ist nach 52. a' ein neuer Punkt des Kegelschnittes und man kann weitere Punkte des letzteren durch Projection der Involution auf P erhalten.

Ein besonderer Fall ist der, wenn a ins Unendliche fällt.

Die reciproke Aufgabe lautet: **Von einem Kegelschnitte sind bekannt zwei imaginäre Tangenten mit den Berührungspunkten und eine reelle Tangente. Besonderer Fall: Eine Parabel ist gegeben durch ein Paar imaginäre Tangenten mit den Berührungspunkten.**

§ 21. Construction von Kegelschnitten, wenn unter den Bestimmungsstücken derselben Pole und Polaren gegeben sind.

66. Ausser einem Paar Pol und Polare sind gegeben:

a) **drei reelle Punkte.** Es sei p der Pol, P seine Polare. Die gegebenen Punkte seien a, b und c. Schneidet pa die Polare in x, so ist a', der vierte harmonische Punkt zu a in Bezug auf px, ein neuer Kegelschnittspunkt. Schneidet ab die Polare in y, so ist b', der Schnittpunkt von $a'y$ mit pb, neuerdings ein Punkt des Kegelschnittes, so dass letzterer nun durch fünf reelle Punkte gegeben erscheint.

Besonderer Fall. Von der Hyperbel sind die Asymptotenrichtungen und ein Punkt gegeben.

b) **Eine Tangente mit dem Berührungspunkt und noch ein Punkt.** Die Tangente sei A, ihr Berührungspunkt a'. Man bestimme wie in 66 a den Punkt a'. Schneidet A die Polare in z, so ist $z a'$ die Tangente A' in a', daher jetzt von dem Kegelschnitt zwei Tangenten mit den Berührungspunkten und noch ein Punkt bekannt sind.

Besondere Fälle. Von der Hyperbel sind gegeben eine Asymptote, die Richtung der anderen oder ein Punkt. Von einer Parabel kennt man die Richtung des unendlich fernen Punktes und einen Punkt.

c) **Ein Paar der gegebenen Punkte sei imaginär.** Dasselbe ist gegeben durch die Polare Q und die auf derselben gelegene Involution conjugierter Pole $m m'$ und $n n'$. Q schneidet P in s. s' sei der homologe Punkt zu s in der Involution auf Q. Dann ist $p s'$ oder S die Polare von s. S schneidet P in σ', dem homologen Punkte zu s in der Involution conjugierter Pole auf P. $p a$ schneidet P in x. Ist a' der vierte harmonische Punkt zu a in Bezug auf p und x, so ist a' ein neuer Punkt des Kegelschnittes. $a a'$ schneidet Q in y. Es sei y' der homologe Punkt zu y in der Involution auf Q und η der vierte harmonische Punkt zu y in Bezug auf $a a'$, dann ist $y'\eta$ oder Y die Polare von y. Diese schneidet S in q, dem Pole von Q, und P in x', dem Pole von $a a'$. Es sind demnach $a x'$ und $a'x'$ die Tangenten in $a a'$ und man kann durch Projection der Involution $s \sigma'$, $x x'$ von a und a' aus neue Punkte des Kegelschnittes gewinnen.

Ein besonderer Fall ist der, wenn a ins Unendliche fällt.

Die reciproken Aufgaben zu den eben gegebenen sind: Ausser einem Paare Pol und Polare sind von einem Kegelschnitte zwei reelle oder imaginäre Tangenten und noch eine Tangente gegeben. Die letztere kann auch ins Unendliche rücken, wodurch sich der Kegelschnitt als Parabel ergiebt. Auch kann statt zwei reellen Tangenten eine Tangente mit dem Berührungspunkt gegeben sein.

67. Von einem Kegelschnitt sind zwei Paar Pol und Polaren und ein Punkt gegeben. $p P$ sei das eine, $q Q$ das andere Paar, a der Punkt. Ist r der Schnittpunkt von P und Q, so ist R die Verbindungslinie von p und q, die Polare

desselben. Diese schneidet P und Q in x und y. Auf R
entsteht eine Involution conjugierter Pole, welche durch die
Punktepaare px und qy bestimmt ist. r und die Involution
auf R gelten nach 62. für ein Paar Tangenten sammt Berührungspunkten, daher der Kegelschnitt nach 65. gezeichnet
werden kann.

Ein besonderer Fall ist der, wenn a ins Unendliche fällt.
Die reciproke Aufgabe entsteht, wenn an die Stelle von a
die Tangente A tritt, eine Parabel, wenn A ins Unendliche fällt.

§ 22. Construction von Kegelschnitten, wenn unter den Bestimmungsstücken derselben ein Tripel conjugierter Pole vorkommt.

68. **Ausser dem Tripel conjugierter Pole** sind zwei
Punkte gegeben, dieselben können reell oder imaginär sein.

a) **Die Punkte a und b seien reell**, das Tripel heisse
pqr. pa schneidet P d. i. qr in x, und es sei a_1 der vierte
harmonische Punkt zu a in Bezug auf p und x. Dann ist a_1
ein neuer Punkt des Kegelschnittes. qa und ra_1 schneiden
sich in einem neuen Kegelschnittspunkte a_2, ebenso ra und
qa_1 in a_3, man hat daher jetzt vom Kegelschnitte fünf reelle
Punkte. Ist y der Schnitt von ab mit P und y' jener von
ba_1, so ist die auf P entstehende Involution conjugierter Pole
durch qr, yy' gegeben. Durch Projection dieser Involution
von a und a' aus kann man auch weitere Punkte des Kegelschnittes erhalten.

Besondere Fälle. Statt der zwei Punkte ist eine
Tangente mit dem Berührungspunkt gegeben, bei einer Hyperbel eine Asymptote, bei einer Parabel die Richtung des
unendlich fernen Punktes. Ferner können von einer Hyperbel
ausser dem Tripel die beiden Asymptotenrichtungen oder eine
und ein Punkt gegeben sein.

b) **Die beiden Punkte sind imaginär** und gegeben durch
eine Gerade G und die auf derselben entstehende Involution
conjugierter Pole mm' und nn'.

G schneide P in x. Ist x' der homologe Punkt zu x
in der Involution auf G, so ist px' oder X die Polare von x
und schneidet P in ξ', dem homologen Punkte zu x in der
auf P entstehenden Involution, von welcher auch qr ein
Punktepaar ist. Hat diese Involution reelle Doppelpunkte a

und a', so sind das die Schnittpunkte von P mit dem Kegelschnitte, und es sind pa und pa' die Tangenten in denselben.
Schneidet P den Kegelschnitt nicht, so müssen Q und R denselben schneiden, denn man überzeugt sich leicht, dass zwei
Seiten des Poldreieckes den Kegelschnitt schneiden. Man erhält also von dem zu zeichnenden Kegelschnitt vier Tangenten sammt den Berührungspunkten.

Ein Kegelschnitt ist gegeben durch ein Tripel conjugierter Pole und ein Paar Pol und Polare. Das letztere sei
gG. P werde von pg in x geschnitten, von G in x'. Dann
sind xx' homologe Punkte der Involution auf P und dieselbe
ist vollkommen bestimmt, da auch q und r ein homologes
Punktepaar bilden. Ebenso sind die Involutionen auf Q und
R bestimmt und zwei derselben müssen reelle Doppelpunkte
haben, wodurch man vier reelle Punkte des Kegelschnittes
sammt den Tangenten erhält.

Anmerkung. Werden Pol und Polare und das Tripel
beliebig gewählt, so ist der Kegelschnitt nicht immer möglich.

§ 23.   Mittelpunkt, Durchmesser, conjugierte Diameter und Achsen eines Kegelschnittes.

69. Mittelpunkt, Durchmesser. Die unendlich ferne
Gerade der Ebene hat in Bezug auf den Kegelschnitt K einen
Pol m. Zieht man durch m eine Gerade, die K in a und a'
schneidet, so ist m die Mitte von aa', denn m ist der vierte
harmonische Punkt zum unendlich fernen Schnittpunkt der
Polaren in Bezug auf aa' (Siehe 23). Der Punkt m heisst
daher der *Mittelpunkt* des Kegelschnittes und jede durch ihn
gezogene Gerade *Durchmesser* oder *Diameter* desselben.

Bei der Hyperbel ist der Schnittpunkt der Asymptoten
der Mittelpunkt, bei der Parabel liegt er im Unendlichen und
sind demnach alle Durchmesser parallel.

Die Tangenten in den Endpunkten eines Durchmessers
sind zu einander parallel, denn sie müssen sich auf der unendlich fernen Polaren schneiden.

Anmerkung. In Aufgabe 66 und 67 kann man jetzt
an Stelle eines Paares Pol und Polare den Mittelpunkt treten
lassen.

70. Conjugierte Diameter, Achsen. Die Polare D' des
unendlich fernen Punktes eines Durchmessers D muss durch
den Mittelpunkt gehen, ist also selbst wieder ein Durch-

messer. Die Polare des unendlich fernen Punktes von D' muss durch m und den unendlich fernen Punkt von D gehen, ist also D selbst. **Zwei solche Durchmesser, von denen der eine immer die Polare des unendlich fernen Punktes des anderen ist, nennt man conjugierte Diameter.**

Zwei conjugierte Durchmesser und die unendlich ferne Gerade der Ebene bilden ein Poldreieck. Da zwei Seiten eines Poldreieckes den Kegelschnitt schneiden, die dritte aber nicht, so wird die Ellipse von beiden conjugierten Diametern geschnitten, die Hyperbel dagegen nur von einem.

Anmerkung. In den Aufgaben 68 kann man an Stelle des Tripels conjugierter Pole zwei conjugierte Durchmesser, der Lage nach gegeben, treten lassen.

Zieht man zum Durchmesser D eine parallele Sehne aa', so geht diese durch den Pol von D'. Daher muss D' die Sehne aa' in Bezug auf diesen unendlich fernen Pol harmonisch theilen, d. h. halbieren. Dasselbe gilt auch von einer zu D' parallelen Sehne. Diese wird wieder durch D halbiert. **Alle parallelen Sehnen zu einem Durchmesser werden also vom conjugierten Durchmesser halbiert.**

Die Tangenten in den Schnittpunkten von D' mit K müssen nach dem unendlich fernen Pole, der auf D liegt, gehen, sind daher zu D parallel. Ebenso sind die Tangenten in den Endpunkten von D parallel zu D'. **Die Tangenten in den Endpunkten zweier conjugierter Durchmesser bilden also ein dem Kegelschnitt umschriebenes Parallelogramm, dessen Mittellinien die Durchmesser sind.**

Sind b und b' die Endpunkte des Durchmessers D und c irgend ein Punkt des Kegelschnittes, so sind bc und $b'c'$ zwei conjugierte Richtungen, d. h. die durch m zu denselben gezogenen Parallelen sind zwei conjugierte Durchmesser. Denn zieht man einen Durchmesser parallel zu bc, so wird der zu ihm conjugierte gefunden, wenn man den Mittelpunkt n von bc mit m verbindet. Aber mn ist im Dreiecke bcb' parallel zu $b'c$.

Man erkennt nun leicht, dass **die Diagonalen des Parallelogrammes, welches von den Tangenten in den Endpunkten zweier conjugierter Diameter gebildet wird, conjugierte Durchmesser sind,** denn schneidet D' den Kegelschnitt in dd', so sind bd und $b'd$ zwei conjugierte Richtungen, zu denen die Diagonalen parallel sind.

Die conjugierten Diameter eines Kegelschnittes bilden

nach 54. eine Strahleninvolution. Hat dieselbe reelle Doppelstrahlen, so sind diese die Asymptoten.

Anmerkung. Nach 65. ist demnach ein Kegelschnitt
durch die Involution der conjugierten Diameter und einen
Punkt oder eine Tangente gegeben.

Da die Ellipse keine Asymptoten besitzt, so müssen sich
bei derselben die conjugierten Diameter gegenseitig trennen,
was bei der Hyperbel nicht der Fall ist. Dagegen trennen
bei letzterer die Asymptoten jedes Paar conjugierter Durchmesser harmonisch.

Bei jedem Kegelschnitte giebt es nach 58. ein Paar auf
einander senkrecht stehende conjugierte Durchmesser, welche
die *Achsen* genannt werden, weil in Bezug auf dieselben die
Curve orthogonal symetrisch ist.

71. **Imaginäre Sehne, imaginärer Durchmesser eines
Kegelschnittes.** Auf jeder Geraden G in der Ebene eines
Kegelschnittes, auch wenn sie denselben nicht schneidet, entsteht eine Involution conjugierter Pole, von welcher aa' ein
Punktepaar sei. Es sei D der zu G parallele, D' sein conjugierter Durchmesser. D' schneidet G in i, dem Centralpunkte der Involution. Sind ss' zwei in G symetrisch in Be-
zug auf i gelegene Punkte, so dass $\overline{is}^2 = \overline{is_1}^2 = ia \cdot ia'$, so sind
ss' auch ein Paar homologe Punkte der Involution auf G, und
man nennt die Strecke ss' eine *imaginäre* oder *ideelle Sehne*
des Kegelschnittes und sieht, **dass der conjugierte Durchmesser auch durch die Mitten der zu einem Durchmesser
parallelen imaginären Sehnen geht.** Geht G durch m, so
heisst ss' der *imaginäre* oder *ideelle Durchmesser.*

72. **Das Rechteck aus den Abschnitten, welche zwei
conjugierte Diameter auf irgend einer Tangente, von ihrem
Berührungspunkte aus gerechnet, abschneiden, ist gleich dem
Quadrate über dem halben reellen oder imaginären Durchmesser, der der Tangente parallel ist.**

In Fig. 25 sei A eine Tangente des Kegelschnittes, a
ihr Berührungspunkt, m der Mittelpunkt. Dann ist am ein
Durchmesser und a' der zweite Endpunkt desselben, wenn
$ma' = ma$ ist. Ist D' zu A parallel, so ist D' der conjugierte
Durchmesser zu D. Es sei ferner b irgend ein Punkt des
Kegelschnittes. Schneidet ab den Durchmesser D' in x', $a'b$
in x, so sind x und x' homologe Punkte der Involution auf
D', deren Centralpunkt m ist. Ist endlich $ms = ms'$ und $\overline{ms}^2 =$
$mx \cdot mx'$,. 1), so ist ss' der reelle oder imaginäre Durch-

messer D' der Länge nach, je nach dem die Involution auf
D' reelle oder imaginäre Doppelpunkte hat. Zieht man durch
$m\Delta$ und Δ' parallel zu ab, beziehungsweise $a'b$, so sind Δ und Δ' nach 70.
conjugierte Durchmesser. Diese
schneiden A in yy' und es ist zu
zeigen, dass $ay \cdot ay' = \overline{ms}^2$ ist.

Da $ay'mx'$ ein Parallelogramm
ist, so ist $ay' = mx'$. Ferner ist Δaym
$\leqq mx a'$, daher $ay = mx$, demnach
mittelst 1) $ay \cdot ay' = \overline{ms}^2$.

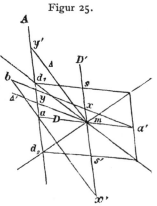

Figur 25.

Da nach 70. die conjugierten
Durchmesser DD', $\Delta\Delta'$ eine Strahleninvolution bilden und diese von A
geschnitten wird, so bilden die Punkte-
paare yy' eine Involution, deren Centralpunkt a ist. Hat diese
Involution reelle Doppelpunkte d_1 und d_2, so gehen nach 70.
durch dieselben die Asymptoten, und der Kegelschnitt ist eine
Hyperbel. Es ist dann $\overline{ad_1}^2 = ay \cdot ay'$, daher auch $ad_1 = ms$,
und demnach $sd_1 \parallel am$ d. h. **die Asymptoten der Hyperbel sind
die Diagonalen eines jeden Parallelogrammes, dessen Mittellinien conjugierte Diameter sind.**

73. **Construction der Achsen eines Kegelschnittes, wenn
ein Paar conjugierte Diameter der Lage und Grösse nach
gegeben sind.**

Es sei Fig. 26 aa' der reelle Durchmesser, bb' der ihm
conjugierte, der sowohl reell als imaginär sein kann. Zieht
man durch a die Parallele A zu bb',
so ist diese die Tangente in a und
wird nach 72 von irgend zwei conjugierten Durchmessern in den Punkten
xx' so geschnitten, dass $ax \cdot ax' =
mb^2$ ist. Errichtet man in a auf A
die Senkrechte $ac = mb$ und legt
man durch m und c einen Kreis, der
seinen Mittelpunkt in A hat, so
schneidet dieser A in zwei Punkten
y und y', für welche $ay \cdot ay' = \overline{ac}^2 =
\overline{mb}^2$ ist. my und my' sind daher zwei conjugierte Durch-
messer, und da sie auf einander senkrecht stehen, die Achsen.
Zieht man $a\eta$ senkrecht auf my, so ist $a\eta$ die Polare von y,
daher $y\eta$ ein Punktepaar der Involution auf der Achse, von

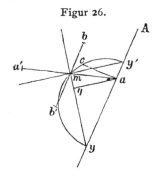

Figur 26.

welcher *m* der Centralpunkt ist, und deren Doppelpunkte,
also Endpunkte der Achsen, man nach Figur 9b bestimmen kann.

74. **Der Mittelpunkt und die Achsen eines durch fünf
Punkte gegebenen Kegelschnittes sind zu bestimmen.** In
zwei Punkten *a* und *b* des Kegelschnittes zeichne man die
Tangenten *A* und *B*. Ihr Schnittpunkt sei *o*. Ferner halbiere man die Berührungssehne *ab* in *n*. Denkt man sich
durch den unbekannten Mittelpunkt *m* des Kegelschnittes
einen parallelen Durchmesser *D* zu *ab* gezogen, so geht der
conjugierte Durchmesser *D'* zu demselben nach 70. durch *n*.
Da ferner *D'* die Polare des unendlich fernen Punktes von *D*
ist und *aa'* eine durch denselben gehende Sekante ist, so
müssen sich nach 52. die Tangenten in *aa'* auf *D'* schneiden.
Also ist *on* der Durchmesser *D'*.

Nun bestimme man im Kegelschnittspunkte *c* die Tangente *C*. Sie schneide *B* in *o'*. Ist *n'* die Mitte von *bc*, so
ist auch *o' n'* ein Durchmesser, demnach der Schnittpunkt von
o n mit *o' n'* der Mittelpunkt m. Zieht man durch *m* eine
Parallele zu *a b*, so ist diese der conjugierte Durchmesser
zu *m n*. Ebenso ist die Parallele zu *b c* durch *m* der conjugierte Durchmesser zu *mn'*. Daher ist die Involution der
conjugierten Durchmesser gegeben, und das rechtwinkelige
homologe Paar derselben sind die Achsen. Schneidet *A* die
eine Achse in *x* und ist ξ der Fusspunkt des Perpendikels
von *a* auf die Achse, so sind *x* und ξ homologe Punkte der
Involution auf der Achse, *m* der Centralpunkt und daher die
nach Fig. 9*b* bestimmten Doppelpunkte die Endpunkte der
Achse.

Jeder andere Fall kann auf diesen zurückgeführt werden.

75. **Die zwei unendlich fernen imaginären Kreispunkte.**
Beim Kreise stehen alle conjugierten Durchmesser auf einander senkrecht, er besitzt also unendlich viele Achsen. Alle
Kreise der nämlichen Ebene haben demnach auf der unendlich
fernen Geraden derselben dieselbe Involution conjugierter Pole
mit imaginären Doppelpunkten. Alle Kreise haben daher
dieselben zwei imaginären Punkte mit der unendlich fernen
Geraden gemein, welche man die *beiden unendlich fernen
imaginären Kreispunkte* nennt. Nun wird es klar, warum der
Kreis, obzwar ein Kegelschnitt, schon durch drei Punkte bestimmt ist, da die beiden unendlich fernen, imaginären Kreispunkte mitzählen.

Aus 64. ergiebt sich nun die Kreisaufgabe: **Man zeichne einen Kreis von dem gegeben sind ein Paar imaginäre Punkte und ein reeller Punkt**, aus 66. jene: **Ein Paar Pol und Polare und ein Punkt**, und aus 68.: **Ein Tripel conjugierter Pole.** Im letzten Falle erkennt man leicht, dass das Poldreieck $p\,q\,r$ stumpfwinkelig ist. Es sei bei p der stumpfe Winkel. Der Mittelpunkt m des gesuchten Kreises ist der Schnittpunkt der drei Höhen des Poldreieckes. Beschreibt man über $m\,q$ als Durchmesser einen Kreis, so schneidet dieser Q oder $p\,r$ in zwei Kreispunkten a und a'.

76. **Besonderes von der Parabel.** Die Parabel berührt die unendlich ferne Gerade, folglich liegt ihr Mittelpunkt im Unendlichen, und alle Durchmesser sind zu einander parallel und zur Achse. Man kann daher die Richtung in der der unendlich ferne Punkt gelegen ist, auch die *Achsenrichtung* der Parabel nennen.

Ist $a\,a'$ eine Sehne der Parabel, D der sie in n halbierende Durchmesser, so schneiden sich die Tangenten A und A' in a, a' in b auf D. D schneidet die Parabel ausser im Unendlichen in c, und es ist der harmonischen Eigenschaften wegen, da b der Pol von $a\,a'$ ist, c die Mitte von $b\,n$.

§ 24. Die gemeinschaftlichen Punkte zweier Kegelschnitte.

77. Da ein Kegelschnitt durch fünf Punkte vollkommen bestimmt ist, so können zwei Kegelschnitte, sollen sie nicht zusammenfallen, *höchstens vier Punkte* gemein haben.

Die Anzahl der Schnittpunkte zweier Kegelschnitte ist immer gerade d. h. zwei oder vier.

Angenommen die Kegelschnitte K und K' haben den Punkt a gemein. Dann lässt sich zeigen, dass sie sich noch in einem Punkte b schneiden müssen, ausser sie hätten in a eine gemeinschaftliche Tangente, in welchem Falle man sagt, dass sie sich in a *berühren*.

Nach früherem kann man den Kegelschnitt K als die collineare Figur eines Kreises k und demnach als dessen Centralprojection betrachten. Das Projectionscentrum sei o, die Ebene, in der k liegt, E. Projiciert man K' von o aus auf E, so erhält man eine stetige Curve k', welche bei a', der Projection von a, in den Kreis k eintritt und daher wieder irgendwo bei b' aus demselben austreten muss. b' ist aber dann die Projection eines Punktes b, der sowohl K als K' angehört.

Haben zwei Kegelschnitte K und K' drei Punkte a, b und c gemein, so lässt sich zeigen, dass sie sich noch in einem vierten Punkte d schneiden müssen. Man zeichne in a und b an beide Kegelschnitte die Tangenten A, B und A', B'. A schneide B in t, A' B' in t'. Die Verbindungslinie $t\,t'$ schneide $a\,c$ in ξ', $b\,c$ in ξ. Dann ist der Schnittpunkt d von $a\,\xi$ mit $b\,\xi'$ nach 46 ein Punkt, der K und K' angehört.

§ 25. Weitere Eigenschaften der Collineation und deren Anwendung auf die Kegelschnitte.

78. **Die collineare Figur eines Kegelschnittes ist wieder ein Kegelschnitt.**

Um zu einem Kegelschnitte K die collineare Figur zu finden, nehme man auf demselben zwei feste Punkte p und q an und lasse einen dritten Punkt x denselben durchlaufen. Dann ist nach 42. $p\,(x \ldots) \,\overline{\wedge}\, q\,(x \ldots)$. Nun suche man zu x den homologen Punkt in der collinearen Verwandtschaft. Es seien in derselben p' und q' die homologen Punkte zu p und q. Der homologe Strahl X' zu $p\,x$ oder X geht durch p', jener Y' zu $q\,x$ oder Y durch q', und der Schnittpunkt beider ist der verlangte Punkt x'. Nun ist aber nach 31. $p'\,(x' \ldots)$ $\overline{\wedge}\, p\,(x \ldots)$, daher mittelst der früheren Projectivität und 9. p' $(x' \ldots) \,\overline{\wedge}\, q\,(x \ldots)$. Ebenso ist mittelst 31. $q'\,(x' \ldots) \,\overline{\wedge}\, q\,(x \ldots)$, daher wieder mittelst 9. $q'\,(x' \ldots) \,\overline{\wedge}\, q'\,(x' \ldots)$, und demnach das Erzeugnis beider Strahlenbüschel d. i. der Ort des Punktes x' nach 40. ein Kegelschnitt.

79. **Die Hauptpunkte der Collineation.** Fällt ein Punkt mit seinem homologen zusammen, so heisst er ein *Hauptpunkt* der Collineation.

Haben zwei collineare Systeme vier Hauptpunkte, von denen keine drei in einer geraden Linie liegen, so decken sie sich.

Nach 38. sind zwei collineare Systeme durch die Annahme von vier Paar homologen Punkten $a\,a'$, $b\,b'$, $c\,c'$ und $d\,d'$ vollkommen bestimmt. Es wird nun angenommen, dass a mit a', b mit b', c mit c' und d mit d' zusammenfällt. Um zu p den homologen Punkt p' zu finden, rechnet man die Verbindungslinie $a\,p$ oder P zum Büschel $a\,(b\,c\,d)$ und bestimmt im projectivischen Büschel $a'\,(b'c'd')$ den homologen Strahl P'. Die beiden Strahlenbüschel mit den Trägern a und a' sind aber identisch, daher fällt P mit P' zusammen. Hierauf rechnet

man den Strahl bp oder Q zum Strahlenbüschel $b(acd)$ und
bestimmt im projectivischen Büschel $b'(a'c'd')$ den homologen
Strahl Q'. Aber auch diese beiden Strahlenbüschel sind, weil
in drei Strahlen übereinstimmend, identisch, daher fällt auch
Q mit Q' zusammen. Der Schnittpunkt von P' und Q' ist
aber p', daher fällt p' mit p zusammen.

Soll daher eine Collineation aus zwei verschiedenen
Systemen bestehen, so darf sie nicht mehr als drei Hauptpunkte enthalten.

Zur Uebung. Zwei collineare Systeme sind durch drei
Hauptpunkte a, b, c und ein Paar homologe Punkte d, d' gegeben; man bestimme a) zu einem Punkte den homologen,
b) die Gegenlinien.

Die Punkte d und d' dürfen nicht auf der Verbindungslinie zweier Hauptpunkte, z. B. a und b, angenommen werden,
weil sonst die die Collineation bestimmenden projectivischen
Büschel unbestimmt sind.

Anmerkung. Eine Collineation kann auch durch drei
Hauptpunkte a, b, c und zwei homologe Gerade G und G'
bestimmt werden, denn schneidet ab die Gerade G in x, G'
in x', ac die Gerade G in y, G' in y', so ist durch die vier
Paar homologen Punkte b, c, xx', yy' eine Collineation bestimmt, welche GG' zu entsprechenden Geraden und a zum
dritten Hauptpunkt hat.

Hat eine Collineation zwei Hauptpunkte, so giebt es
noch einen dritten reellen Hauptpunkt. Sind $a = a'$, $b = b'$
die beiden Hauptpunkte, so haben die beiden concentrischen
projectivischen Strahlenbüschel mit den Trägern a und a' in
$ab = a'b'$ bereits einen Doppelstrahl. Sie müssen daher nach
17. noch einen Doppelstrahl $D = D'$ haben. Dasselbe gilt
von den beiden Büscheln mit den Trägern b, b'. Ihr zweiter
Doppelstrahl sei $E = E'$. Der Schnittpunkt der beiden Doppelstrahlen D und E ist dann ein selbstentsprechender Punkt,
daher der dritte Hauptpunkt.

80. Jeder Punkt p bestimmt in der Collineation einen
Kegelschnitt, welcher durch die Hauptpunkte hindurchgeht.

Rechnet man den Punkt p zum ungestrichelten System,
so entspricht ihm im gestrichelten p'. Projicirt man von p
und p' die homologen Punkte, so erhält man nach 31. zwei
projectivische Strahlenbüschel, welche nach 40. einen Kegelschnitt erzeugen. Ist a ein Hauptpunkt, so sind pa und $p'a$

homologe Strahlen der projectivischen Büschel, weshalb a auf dem Kegelschnitte liegen muss.

Nach 33. enthält jede Collineation zwei congruente gleich-stimmige Strahlenbüschel, deren Erzeugnis nach 12. ein Kreis ist, der auch durch die Hauptpunkte hindurchgeht. Aufgabe. Eine Collineation ist durch vier Paar homo-loge Punkte aa', bb', cc' und dd' gegeben; man zeichne den dem Punkte p entsprechenden Kegelschnitt.

Man suche zu p den homologen Punkt p', worauf der Kegelschnitt durch die projectivischen Strahlenbüschel $p(abc..)$ und $p'(a'b'c'..)$ vollkommen bestimmt ist.

81. In jeder Collineation giebt es mindestens einen reellen Hauptpunkt; die beiden anderen Hauptpunkte können reell oder imaginär sein, ihre Verbindungslinie ist aber stets reell.

Dem Punkte p entspricht nach 80. ein Kegelschnitt K, der durch p' und die Hauptpunkte hindurchgeht. Einem zweiten Punkte q entspricht ein Kegelschnitt K', welcher durch q' hindurchgeht. Verbindet man p mit q, p' mit q', so erhält man zwei homologe Strahlen, deren Schnittpunkt x beiden Kegelschnitten angehören muss. Nach 77. müssen sich die beiden Kegelschnitte noch in einem Punkte h schneiden, und dieser ist ein Hauptpunkt der Collineation. Denn um zu h den homologen Punkt h' zu bestimmen, kann man die zwei Paar projectivischen Strahlenbüschel mit den Trägern pp', be-ziehungsweise qq' benützen. Man hat also zu ph im Büschel p' den homologen Strahl zu suchen, was des Kegelschnittes K wegen nach 42. $p'h$ giebt Ebenso hat man zu qh im Büschel q' den homologen Strahl zu suchen, was mittelst des Kegelschnittes K' nach 42. $q'h$ giebt. Der Schnittpunkt von ph mit qh ist h', daher fällt h' mit h zusammen.

Projiciert man von h aus alle homologen Punkte, so er-hält man zwei concentrische projectivische Strahlenbüschel, die reelle oder imaginäre Doppelstrahlen haben können. An-genommen sie haben zwei reelle Doppelstrahlen D und E. Auf der selbstentsprechenden Geraden D entstehen nach 31. zwei conlocale projectivische Punktreihen, die bereits in h einen Doppelpunkt haben, daher noch einen in i besitzen müssen, welcher auch ein Hauptpunkt ist. Dasselbe gilt auch vom Doppelstrahl E, auf welchem sich der dritte Hauptpunkt k befinden muss. Die Gerade ik ist eine selbstentsprechende Gerade, und es wird noch gezeigt, dass sie auch dann vor-handen ist, wenn D und D' und mithin auch i und k nicht vorhanden oder imaginär sind.

Haben die obengenannten concentrischen projectivischen Strahlenbüschel mit dem Träger h keine reellen Doppelstrahlen, so entstehen doch auf zwei homologen Strahlen AA' nach 31. zwei projectivische Punktreihen, bei denen sich in h homologe Punkte decken. Die Punktreihen befinden sich daher in perspectivischer Lage, und es sei o_1 das Directionscentrum. Dasselbe gilt von zwei anderen homologen Strahlen BB', deren perspectivische Punktreihen das Directionscentrum o_2 haben mögen. Die Verbindungslinie $o_1 o_2$ schneidet A in a, A' in a', B in b, B' in b', also in zwei Paar homologen Punkten, daher ist $o_1 o_2$ eine selbstentsprechende Gerade.

Zur Uebung. Eine Collineation ist gegeben durch einen Hauptpunkt h und drei Paar homologe Punkte aa', bb' und cc'. Man bestimme die beiden anderen Hauptpunkte i und k, oder wenn dieselben nicht vorhanden sind, die stets reelle selbst entsprechende Gerade.

Nach 80. bestimmt irgend ein Punkt p, zum ungestrichelten System gerechnet, einen Kegelschnitt K, der durch den homologen Punkt p' und durch die Hauptpunkte hindurchgeht. Rechnet man K zum ungestrichelten System, so entspricht ihm nach 78. im gestrichelten System ein Kegelschnitt K', der durch p' und die Hauptpunkte hindurchgeht, da die letzteren sich selbst entsprechen. Man kann daher die Hauptpunkte einer Collineation als die Schnittpunkte eines durch einen Punkt p bestimmten Kegelschnittes mit seiner collinearen Figur K' bestimmen und auch zweckmässiger Weise statt K den durch die Collineation bestimmten Kreis (s. 33. u. 80.) nehmen.

§ 26. Das gemeinschaftliche Tripel conjugierter Pole zweier Kegelschnitte.

82. Bezeichnet man die Pole einer veränderlichen Geraden in Bezug auf zwei Kegelschnitte als homolog, so bilden dieselben eine Collineation.

Es sei (Fig. 27) a der Pol von A in Bezug auf den Kegelschnitt K, a' jener in Bezug auf K'. Durchläuft ein Punkt x die Polare A, so geht seine Polare X in Bezug auf K durch a und jene X' in Bezug auf K' durch a', und es ist 1) $a(X \ldots) \overline{\wedge} a'(X' \ldots)$, weil beide nach 55. der Punktreihe x projectivisch sind. Die Pole einer zweiten Geraden B in Bezug auf K und K' seien b und b', und es durchlaufe ein Punkt y die Gerade

Figur 27.

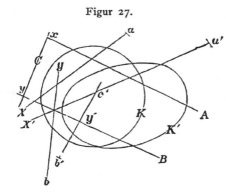

B. Seine Polaren Y und
Y' in Bezug auf K und
K' drehen sich um b beziehungsweise b', und es
ist aus dem nämlichen
Grunde wie oben 2)
$b(Y\ldots) \barwedge b'(Y'\ldots).$
Die Verbindungslinie
xy heisse C. Dann ist c,
der Schnitt von X und Y,
der Pol von C in Bezug
auf K und c, der Schnitt
von X' mit Y' der Pol von C in Bezug auf K'. Die projectivischen Strahlenbüschel 1) und 2) bestimmen aber nach 30.
eine Collineation, in welcher c und c' homologe Punkte sind.

Zusatz. In der durch zwei Kegelschnitte bestimmten
Collineation haben zwei homologe Geraden denselben Pol.

Sind cc' und dd' zwei homologe Punktepaare in der
obigen Collineation, so haben cc' dieselbe Polare C und dd'
jene D in Bezug auf beide Kegelschnitte. Die Verbindungslinien cd und $c'd'$ sind dann homologe Geraden. Der Pol von
cd ist in Bezug auf beide Kegelschnitte der Schnittpunkt von
C mit D und ebenso jener von $c'd'$.

83. Unter einem *gemeinschaftlichen Tripel conjugierter
Pole* zweier Kegelschnitte versteht man drei derartig gelegene
Punkte, dass die Polare des einen in Bezug auf beide Kegel-
schnitte die Verbindungslinie der beiden anderen ist.

**Zwei Kegelschnitte haben nur ein einziges Tripel conju-
gierter Pole gemeinschaftlich, und dieses besteht aus den
Hauptpunkten der durch die Kegelschnitte bestimmten Collineation.**

Sind hik die Hauptpunkte der durch die Kegelschnitte
bestimmten Collineation, so sind die Pole der Geraden ik in
Bezug auf beide Kegelschnitte homologe Punkte derselben.
Dieselben müssen aber nach 82. Zusatz, zusammenfallen, da
ik eine selbstentsprechende Gerade ist und demnach einen
Hauptpunkt geben. Da jedoch die Collineation ausser i und k
nur noch einen Hauptpunkt (und das ist h) haben kann, so
ist h der Pol von ik in Bezug auf K und K'.

Die Auffindung des gemeinschaftlichen Tripels conjugierter Pole zweier Kegelschnitte ist demnach zurückgeführt auf
die Bestimmung der Hauptpunkte, der durch die letzteren
gegebenen Collineation.

Nach 81. sind die Hauptpunkte einer Collineation entweder alle drei reell oder nur einer und die Verbindungslinie der beiden anderen. Sind alle drei Hauptpunkte reell, so sagt man: Die Kegelschnitte haben *ein reelles Tripel conjugierter Pole gemeinschaftlich*. Ist nur ein Hauptpunkt reell, so sagt man das gemeinschaftliche Tripel ist *imaginär*.

Schneiden sich **zwei Kegelschnitte in vier Punkten, so ist das gemeinschaftliche Tripel reell.** Es wird von den Diagonalpunkten des vollständigen Viereckes, das durch die vier Schnittpunkte bestimmt ist, gebildet. (Siehe 24. und 54.)

Besitzen zwei Kegelschnitte ein reelles gemeinschaftliches Tripel und schneiden sie sich in einem Punkte, so müssen sie sich noch in weiteren drei Punkten schneiden.

Es sei $p\,q\,r$ das gemeinschaftliche Tripel, a der vorhandene Schnittpunkt. Dann lassen sich nach 68. a) noch drei Punkte a_1, a_2, a_3 ableiten, welche beiden Kegelschnitten angehören.

Haben zwei Kegelschnitte ein imaginäres Tripel conjugierter Pole gemeinschaftlich, so schneiden sie sich in zwei Punkten. Das imaginäre gemeinschaftliche Tripel beider Kegelschnitte K und K' besteht in einem Punkte h, der in Bezug auf die beiden die nämliche Polare H hat. Beide Kegelschnitte bestimmen auf H eine Involution conjugierter Pole, welche Involutionen kein gemeinschaftliches Punktepaar besitzen dürfen, weil sonst dieses mit h ein reelles, gemeinschaftliches Tripel bilden würde, was gegen die Voraussetzung ist. Projiciert man von h aus beide Involutionen, so erhält man zwei concentrische Strahleninvolutionen, welche mit einem durch h gehenden Kreis geschnitten zwei krumme Punktinvolutionen liefern, deren Pole ausserhalb des Kreises liegen, denn nur so ist es möglich, dass die Verbindungslinie beider den Kreis nicht schneidet und demnach kein gemeinschaftliches Paar beider Involutionen entsteht. Wenn aber die Pole beider Involutionen ausserhalb des Kreises liegen, so haben die letzteren reelle Doppelstrahlen und beide Kegelschnitte schneiden H. Angenommen K schneide H in a und b, K' in a' und b', dann müssen sich die Schnittpunkte gegenseitig trennen, wenn also a' innerhalb der Strecke $a\,b$ liegt, muss b' ausserhalb derselben gelegen sein, denn würden sich die Schnittpunkte nicht gegenseitig trennen, so könnte man sie als Punktepaare einer Involution betrachten, die dann nothwendig reelle Doppelpunkte haben müsste. Da aber die

Doppelpunkte gleichzeitig $a\,b$ und $a'\,b'$ harmonisch trennen würden, so müssten sie ein gemeinschaftliches Punktepaar beider Involutionen auf H sein, was schon nach früherem gegen die Voraussetzung ist. Da nun ein Punkt des Kegelschnittes K' innerhalb, der andere ausserhalb des Kegelschnittes K gelegen ist, so müssen sich die Kegelschnitte schneiden, und zwar kann der Schnitt nach 77. und dem vorhergehenden nur in zwei Punkten erfolgen, denn vier Schnittpunkte würden ein reelles Tripel bedingen.

Aus dem eben Bewiesenen folgt auch, dass **wenn zwei Kegelschnitte sich nicht schneiden, sie nur ein reelles Tripel gemein haben können.**

§ 27. Die Chordalen zweier Kegelschnitte.

84. Die Steinersche Verwandtschaft. Ein Punkt p hat in Bezug auf zwei Kegelschnitte K und K' zwei Polaren P und P', die sich in p' schneiden. Betrachtet man p und p' als homologe Punkte, so erhält man die *Steinersche Verwandtschaft* zwischen zwei Systemen. Dieselbe ist eine *involutorische,* d h. rechnet man den Punkt p' zum Systeme p, so entspricht ihm im anderen Systeme wieder p.

Bezeichnet man p' zum ersten System gerechnet mit x, so geht die Polare X von x in Bezug auf K durch p, da x auf P gelegen ist. Ebenso geht X', die Polare von x in Bezug auf K', durch p, denn x liegt auf P'. Daher fällt x', der homologe Punkt zu x, als der Schnittpunkt von X und X' mit p zusammen.

Ein Schnittpunkt beider Kegelschnitte ist ein selbstentsprechender Punkt, denn seine Polaren, die Tangenten an beide Kegelschnitte, schneiden sich in ihm selbst.

Einer Geraden entspricht im Allgemeinen in der Steinerschen Verwandtschaft ein Kegelschnitt, welcher durch die Hauptpunkte der durch die Kegelschnitte bestimmten Collineation hindurchgeht.

Der Punkt p durchlaufe die Gerade G. Diese habe in Bezug auf den Kegelschnitt K den Pol g, in Bezug auf K' jenen g'. Dann müssen die Polaren von p P und P' durch g, beziehungsweise g' hindurchgehen, und es ist $g(P..) \barwedge g'(P'..)$, weil die Strahlenbüschel nach 55. der Punktreihe p projectivisch sind. Ihr Erzeugnis d. h. der Ort von p' ist demnach ein Kegelschnitt. Die Collineation der beiden Kegelschnitte besitzt nach 81. mindestens einen Hauptpunkt h und eine selbstentsprechende Gerade H. Schneidet letztere G in x, so ist X, die Polare von x in Bezug auf K, die Verbindungslinie der Punkte g und h und X', die Polare in Bezug auf K', die Verbindungslinie $g'\,h$. Ihr Schnittpunkt h ist demnach der homologe Punkt zu x, also geht der homologe Kegelschnitt durch den Hauptpunkt. Dasselbe gilt auch von den anderen Hauptpunkten, wenn sie überhaupt vorhanden sind.

Geht eine Gerade A durch einen Hauptpunkt h, so entspricht ihr in der Steinerschen Verwandtschaft wieder eine durch h gehende Gerade A' und es bilden alle zusammengehörigen A und A' eine Strahleninvolution, deren Strahlenpaare man findet, wenn man von h aus die homologen Punkte der Steinerschen Verwandtschaft projiciert.

Der Punkt p durchlaufe A, die Pole von A seien a und a'. Sie müssen auf H liegen und sind die Träger jener projectivischen Büschel, die das homologe Gebilde zu A erzeugen. In H decken sich aber zwei homologe Strahlen der Büschel, denn fällt p nach h, so fallen P und P' mit H zusammen. Die beiden Strahlenbüschel befinden sich daher in perspectivischer Lage und ihr Erzeugnis ist eine Gerade A'. Wird A von H in y geschnitten, so ist Y die Verbindungslinie ah und Y' jene $a'h$, daher h auch ein Punkt von A'.

Der Strahl A schneidet irgend eine feste Gerade G in z. Um A' zu finden müsste man zu z den homologen Punkt z' suchen, und denselben mit h verbinden. G entspricht nach früherem ein Kegelschnitt G', der durch g, $g'h$ und z' hindurchgehen muss. Lässt man A variieren, so ändern sich z und z', z durchläuft G und z' den Kegelschnitt G'. Es ist daher $h\,(z' \ldots) \,\overline{\wedge}\, g\,(z' \ldots)$. Für hz' kann man A' und für gz' die Polare Z von z in Bezug auf K setzen. Daher ist $h\,(A' \ldots) \,\overline{\wedge}\, g\,(Z \ldots)$. Aber die Punktreihe z ist nach 55. dem Strahlenbüschel $g\,(Z..)$ projectivisch, daher $z \ldots \,\overline{\wedge}\, h\,(A' \ldots)$, demnach auch $h\,(z \ldots) \,\overline{\wedge}\, h\,(A' \ldots)$. Für hz kann man aber A setzen, daher $h\,(A \ldots) \,\overline{\wedge}\, h\,(A' \ldots)$, und die projectivischen Büschel befinden sich in involutorischer Lage, weil A und A' einander vertauschbar entsprechen.

Durchläuft also ein Punkt p eine durch h gehende Gerade A, so schneiden sich seine Polaren in Bezug auf beide Kegelschnitte auf einer zweiten durch h gehenden Geraden A'. Fällt A mit A' zusammen, d. h. hat die Involution h $(AA'..)$ reelle Doppelstrahlen, so haben beide Kegelschnitte in Bezug auf diese Gerade dieselbe Involution conjugierter Pole.

85. **Die Chordalen zweier Kegelschnitte.** Eine Gerade wird in Bezug auf zwei Kegelschnitte eine *Chordale* genannt, wenn die letzteren auf derselben die nämliche Involution conjugierter Pole haben, oder was dasselbe ist, wenn beide sie in den nämlichen reellen oder imaginären Punkten schneiden.

Aus der 84. besprochenen Steinerschen Verwandtschaft folgt, dass die Chordalen zweier Kegelschnitte die Doppelstrahlen jener Involutionen sind, welche man erhält, wenn man von den Punkten ihres gemeinschaftlichen Tripels conjugierter Pole die homologen Punkte der genannten Verwandtschaft projiciert. **Zwei Kegelschnitte können daher nicht mehr als sechs Chordalen besitzen, und können die letzteren nur paarweise reell sein.**

Ist der Schnittpunkt zweier Chordalen nicht ein Punkt des gemeinschaftlichen Tripels conjugierter Pole, so ist er ein Schnittpunkt beider Kegelschnitte, da er ein selbstentsprechender Punkt in der Steinerschen Verwandtschaft ist.

Die Seiten des gemeinschaftlichen Poldreieckes sind in den drei Involutionen homologe Strahlen, da sie von den Chordalen harmonisch getrennt werden.

Haben zwei Kegelschnitte ein reelles Tripel conjugierter Pole gemein und schneiden sie sich, so sind alle sechs Chordalen reell. Nach 83. haben die Kegelschnitte in diesem Falle vier Punkte gemein. Diese bestimmen ein vollständiges Viereck, dessen sechs Seiten die sechs reellen Chordalen sind.

Schneiden sich zwei Kegelschnitte nicht, so sind nur ein Paar Chordalen reell.

Nach 83. haben die zwei Kegelschnitte, wenn sie sich nicht schneiden, ein reelles Tripel conjugierter Pole hik Fig. 28 gemein. Zwei Paar Chordalen können nicht reell sein, weil sonst ihre Schnittpunkte gemeinschaftliche Punkte beider Kegelschnitte wären. Angenommen i und k sind die Träger der Involutionen der Steinerschen Verwandtschaft mit imaginären Doppelstrahlen; die durch dieselben gehenden Chordalen sind also imaginär. Um die durch den Punkt h gehenden Chordalen zu ermitteln, muss man die Involution mit dem Träger h bestimmen. Ein Strahlenpaar derselben ist nach frühe-

Figur 28.

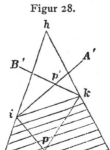

rem hi und hk. Um ein weiteres zu bekommen nehme man
den Punkt p innerhalb des schraffierten Theiles der Ebene an
und suche seinen homologen p'. Verbindet man i mit p und
sucht man zu ip oder A in der Involution mit dem Träger
i den homologen Strahl A', so muss auf diesem p' liegen.
Aber A' muss nothwendig in den Winkel hik fallen, denn die
Strahleninvolution i ($AA'kh$) soll imaginäre Doppelstrahlen
haben. Bezeichnet man die Verbindungslinie kp mit B, so
muss p' auch auf B' gelegen sein, wenn B' der homologe
Strahl zu B in der Involution mit dem Täger k ist, und es
muss B' in den Winkel hki fallen, nachdem die Involution
k ($hiBB'$) imaginäre Doppelstrahlen hat. Der Schnittpunkt
p' von A' und B' liegt daher innerhalb des Dreieckes ihk, und
demnach hat die Involution $h(ikpp')$ reelle Doppelstrahlen.

Besitzen zwei Kegelschnitte ein imaginäres gemeinschaftliches Tripel conjugierter Pole, so sind nur ein Paar Chordalen reell, von denen die eine durch die zwei reell vorhande-
nen Schnittpunkte geht.

86. Kennt man von zwei Kegelschnitten das gemeinschaftliche Tripel conjugierter Pole, so kann man ihre Schnittpunkte geometrisch construiren.

Nach 68. werden beide Kegelschnitte gegeben sein, wenn
man ausser ihrem gemeinschaftlichen Tripel conjugierter Pole
noch von jedem zu einem Punkte p, die Polare P, beziehungsweise P' kennt. P und P' schneiden sich in p', und man erhält die durch i gehenden Chordalen, wenn man in der
Strahleninvolution $i(hkpp')$ die Doppelstrahlen sucht. Ebenso
findet man die durch h gehenden Chordalen, wenn man die
Doppelstrahlen der Involution $h(ikpp')$ sucht. Die vier Schnittpunkte der Doppelstrahlen untereinander sind dann die Schnittpunkte der Kegelschnitte. Hätten aber die beiden Involutionen
h und i keine reellen Doppelstrahlen, so müsste nach 85. die
Involution k reelle Doppelstrahlen haben, und die Kegelschnitte würden sich nicht reell schneiden. In diesem Falle
sind nun auf den durch k gehenden Chordalen $C_1 C_2$ die beiden Kegelschnitten gemeinschaftlichen Involutionen conjugierter Pole zu bestimmen.

Schneidet C_1 die Seite des Poldreieckes hi in k_1, so sind
kk_1 ein Punktepaar der verlangten Involution auf C_1. Schneidet
P die Chordale C_1 in r, so soll jetzt der zu r homologe Punkt
r' in der genannten Involution bestimmt werden. Zu dem
Ende suche man zu r die Polare R in Bezug auf den Kegelschnitt K. R geht durch p und durch den homologen Punkt

ϱ zu r in der auf P durch K hervorgerufenen Involution conjugierter Pole. Diese muss daher zunächst bestimmt werden. P schneidet hi in a. Die Polare A dieses Punktes in Bezug auf K ist pk, und A schneidet P in a'. P schneidet ik in b. Die Polare B dieses Punktes in Bezug auf K ist ph, und schneidet P in b'. Nun ist die Involution auf P durch die Punktepaare aa' und bb' bestimmt. In dieser Involution suche man zu r den homologen Punkt ϱ. $p\varrho$ ist dann R und schneidet C_1 in r_1, wodurch die imaginären Schnittpunkte beider Kegelschnitte mit C_1 durch die Involution kk_1rr_1 gegeben sind.

Kennt man nicht von einem Punkte p in Bezug auf beide Kegelschnitte die Polaren P und P', so muss der betreffende Fall auf den eben behandelten zurückgeführt werden. Z. B. ausser dem gemeinschaftlichen Tripel conjugierter Pole kennt man für den Kegelschnitt K zu p die Polare P und in Bezug auf K' zu q' die Polare Q'.

Man wird zu p in Bezug auf K' die Polare P' zu finden haben. K' bestimmt auf ik eine Involution, deren ein Punktepaar ik ist. Schneidet Q' ik in n, so ist zu diesem Punkte die Polare N die Verbindungslinie hq' und diese schneidet ik in n'. nn' ist nun ein zweites Punktepaar der Involution auf ik. In dieser bestimme man zu x, dem Schnittpunkte von hp mit ik den homologen Punkt x'. Ferner schneidet Q' hk in m. Die Polare M von m ist iq' und diese schneidet hk in m'. Die Involution des Kegelschnittes K' auf hk ist demnach durch die Punktepaare hk und mm' bestimmt. ip schneidet hk in y, zu welchem Punkt man in der ebengenannten Involution den homologen y' bestimmt. $x'y'$ ist nun die gesuchte Polare P'.

Es kann auch der Fall eintreten, dass ausser dem gemeinschaftlichen Tripel conjugierter Pole von jedem Kegelschnitte noch zwei Punkte a und b, beziehungsweise a' und b' gegeben sind.

Die Verbindungslinien ab und $a'b'$ schneiden sich in p. Zu diesem Punkte suche man in Bezug auf beide Kegelschnitte K und K' die Polaren P und P', wodurch man zu dem ersten Falle gelangt. P muss durch den vierten harmonischen Punkt q zu p in Bezug auf a und b gehen. ab schneide ik in x. Die Polare X von x geht durch ξ, den vierten harmonischen Punkt von x in Bezug auf ab, und durch h. Sie ist demnach die Verbindungslinie $h\xi$ und schneidet ik in x'. Die Involu-

tion auf $i k$ ist hierdurch durch die Punktepaare $i k$ und $x x'$
gegeben. $h p$ schneidet $i k$ in y, und es sei y' der homologe
Punkt zu y in der Involution $i k$, $x x'$. y' ist der Pol von $h p$,
daher muss P durch y' hindurchgehen und ist demnach als $y' q$
bestimmt. Auf dieselbe Weise bestimmt man zu p die Polare
P' in Bezug auf K'.

Ist von dem den beiden Kegelschnitten gemeinschaftlichen
Tripel conjugierter Pole nur ein Punkt h und seine Polare H
gegeben, so bestimme man zunächst auf letzterer die Involutionen, die beiden Kegelschnitten angehören. Haben dieselben
ein gemeinschaftliches Punktepaar, so bildet dieses die zwei
fehlenden Ecken des gemeinschaftlichen Poldreieckes, und
man verfährt weiter wie früher. Giebt es kein gemeinschaftliches Paar, so ist das Tripel imaginär, die Kegelschnitte
schneiden sich nach 83. in zwei Punkten und die beiden
reellen Chordalen gehen durch h, und können mittelst der
Steiner'schen Verwandtschaft ermittelt werden.

87. **Die Chordalen zweier Kreise.** Die Centrallinie zweier
Kreise hat in Bezug auf beide denselben im Unendlichen gelegenen Pol. Der letztere bildet also die eine Ecke des beiden gemeinschaftlichen Poldreieckes, und die Centrallinie die
gegenüberliegende Seite desselben. Schneiden sich die Kreise
wie in Fig. 29 nicht, so haben sie nach 83. ein reelles Tripel

Figur 29.

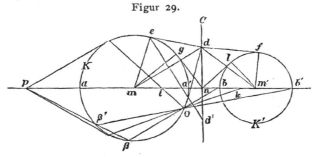

conjugierter Pole gemeinschaftlich. Um die noch fehlenden
Tripelpunkte i und k zu finden, nehme man auf K den Punkt
o an und projiciere von demselben die Schnittpunkte $a a'$, $b b'$
der beiden Kreise mit der Centrallinie, wodurch man auf K
die Punktepaare $a a'$ $\beta \beta'$ erhält. Diese betrachtet man als die
homologen Punktepaare einer Involution, deren Pol p der
Schnittpunkt von $\beta \beta'$ mit der Centrallinie ist. Projiciert man
die Doppelpunkte dieser krummen Involution von o auf die
Centrallinie, so erhält man die verlangten Tripelpunkte i und

k, denn diese müssen die Eigenschaft haben, dass sie sowohl aa' als auch bb' harmonisch trennen.

Die unendlich ferne Gerade der Ebene ist nach 75. die eine Chordale. Die zweite reelle Chordale geht demnach durch den unendlich fernen Tripelpunkt h, d. h. sie steht auf der Centrallinie senkrecht. Da sie ferner in einer Parallelstrahleninvolution der eine Doppelstrahl ist, während der andere im Unendlichen liegt, so muss sie die Strecke ik halbieren.

Die von einem Punkte der Chordalen an beide Kreise gezogenen Tangenten sind unter einander gleich. Da n der Centralpunkt der Involution aa' bb' mit den Doppelpunkten i und k ist, so ist nach 19. $ni'^2 = nk^2 = na.na' = nb.nb'...$ 1. Nach einem bekannten Satze der Planimetrie ist $ng^2 = na.na'$ und $nl'^2 = nb.nb'$, daher mittelst 1. $ng = nl$, und demnach auch mittelst der rechtwinkeligen Dreiecke mgn und nlm': $nm^2 - R^2 = nm'^2 - r^2...$ 2. wenn man mit R und r die Halbmesser der Kreise K und K' bezeichnet. Ferner ist mittelst der rechtwinkeligen Dreiecke mdn und $m'dn$: $dm^2 - mn^2 = dn^2 = dm'^2 - nm'^2$; hiezu 2. addiert $dm^2 - R^2 = dm'^2 - r^2$, daher mittelst der rechtwinkeligen Dreiecke emd und $dm'f$ die Tangente de gleich jener df.

n ist der Centralpunkt der Involution conjugierter Pole, welche beide Kreise gemeinschaftlich auf der Chordale C hervorrufen. Den zu d homologen Punkt d' in derselben findet man, wenn man ee', die Polare zu d in Bezug auf K, mit C zum Schnitt bringt.

Schneiden sich die beiden Kreise, so erfolgt der Schnitt in zwei Punkten und das beiden gemeinschaftliche Tripel conjugierter Pole ist nach 83. imaginär. Die im Endlichen befindliche Chordale ist die Verbindungslinie der beiden Schnittpunkte.

Hier ergiebt es sich sofort, dass die von einem Punkte der Chordalen an beide Kreise gezogenen Tangenten untereinander gleich sind.

88. **Kennt man das zwei Kegelschnitten gemeinschaftliche Poldreieck, so können die gemeinschaftlichen Tangenten geometrisch construiert werden** durch Polarisation der Construction in 86.

§ 28. Brennpunkte und Leitlinien der Kegelschnitte.

89. **Bestimmung der Steinerschen Verwandtschaft mittelst eines Kegelschnittes und einer Strahleninvolution.** Nach 84. bestimmen zwei Kegelschnitte K und K' die Steinersche Verwandtschaft. Nach 83. haben dieselben nur ein gemein-

schaftliches Tripel conjugierter Pole $h\,i\,k$, von denen mindestens ein Punkt h und seine Polare H reell ist. Projiciert man von h alle Punktepaare $a\,a'$ der Steinerschen Verwandtschaft, so erhält man nach 84. eine Strahleninvolution, in welcher $h\,i$ und $h\,k$ ein Strahlenpaar und die durch h gehenden Chordalen die Doppelstrahlen sind. Projiciert man die Punktepaare der Steinerschen Verwandtschaft von i und k aus, so erhält man zwei neue Strahleninvolutionen, denen $i\,k$, $i\,h$, beziehungsweise $k\,i$, $k\,h$ als Strahlenpaare angehören.

Man erkennt nun leicht, dass die Steinersche Verwandtschaft durch die Strahleninvolution mit dem Träger h und einen der Kegelschnitte z. B. K vollkommen bestimmt ist, denn um zu a den homologen Punkt a' zu finden, suche man zu a die Polare A in Bezug auf K und bringe dieselbe zum Schnitt mit dem homologen Strahle zu $h\,a$ in der Involution h.

90. Ist $p\,q\,r$ ein Tripel conjugierter Pole des Kegelschnittes K, p der Träger einer Involution mit dem Strahlenpaare $p\,q$, $p\,r$ und α der Schnittpunkt der Polaren A eines Punktes a mit dem homologen Strahle zu $p\,a$ in der Involution p, so werden alle zusammengehörigen a und α auch von q und r in Strahleninvolutionen projiciert, denen $q\,p$, $q\,r$, beziehungsweise $r\,p$, $r\,q$ als Strahlenpaare angehören.

Nach 89. bestimmt die Involution und K die Steinersche Verwandtschaft zweier Kegelschnitte, deren gemeinschaftliches Tripel conjugierter Pole $p\,q\,r$ ist, und in welcher a und α homologe Punkte sind. Dieselben werden daher von q und r ebenfalls in Strahleninvolutionen mit den Strahlenpaaren $q\,h$, $q\,r$ beziehungsweise $r\,p$, $r\,h$ projiciert.

Der reciproke Satz zu dem eben Bewiesenen lautet: **Wird eine Seite eines Poldreieckes z. B. $q\,r$ von conjugierten Polaren $A, \mathfrak{A}, A_1 \mathfrak{A}_1$ u. s. w. in den Punktepaaren einer Involution geschnitten, zu welcher auch $q\,r$ als Punktepaar gehört, so schneiden dieselben Geradenpaare auch die anderen Seiten des Poldreieckes in Involutionen, zu welchen $p\,q$ beziehungsweise $p\,r$ als Punktepaare gehören.**

Der Beweis ergiebt sich durch Polarisation des vorhergehenden Satzes. (Siehe 60 und 61).

91. Jeder Punkt in der Ebene eines Kegelschnittes ist nach 54. der Träger einer Involution, welche von den durch ihn gehenden conjugierten Polaren gebildet wird. In dieser Strahleninvolution gibt es nach 58. Folgerung 1. ein Paar conjugierter Polaren, die auf einander senkrecht stehen. Dieses

Paar soll construiert werden, wenn der Kegelschnitt durch die
Lage der Achsen $m\,x$, $m\,y$ Fig. 30. und durch irgend welche
Stücke sonst z. B. eine Tangente T mit dem Berührungspunkte
p gegeben ist.

Die Schnittpunkte der Achsen mit der Tangente bestimmen auf letzterer eine Strecke und es kann p 1) innerhalb
und 2) ausserhalb derselben gelegen sein.

Figur 30.

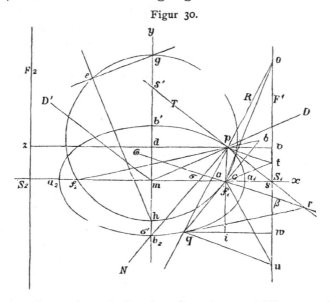

1) p liege innerhalb der Strecke $s\,s'$ Fig. 30. Um zu
entscheiden, ob der Kegelschnitt eine Ellipse oder Hyperbel
ist, die Parabel ist wegen des Mittelpunktes m im Endlichen
ausgeschlossen, bestimme man die Involution conjugierter Polaren, deren Träger m und von welcher $m\,x$, $m\,y$ ein Paar ist.
$m\,p$ oder D ist ein Durchmesser, zu welchem der conjugierte
die Parallele D' zu T durch m ist. Die beiden Strahlenpaare
$D\,D'$, $m\,x$, $m\,y$ trennen sich gegenseitig, die Involution hat
demnach keine Doppelstrahlen und der Kegelschnitt ist eine
Ellipse.

Zieht man $p\,c \perp m\,x$, so ist die Involution conjugierter
Pole auf $m\,x$ durch den Centralpunkt m und das Punktepaar
$c\,s$ bestimmt. Beschreibt man einen Halbkreis, welcher $m\,s$
zum Durchmesser hat und schneidet dieser die Verlängerung
von $p\,c$ in i, und macht man $m\,a_1 = m\,a_2 = m\,i$, so sind a_1
a_2 die Schnittpunkte der Achse $m\,x$ mit der Ellipse oder die
Scheitel der letzteren. Ist $p\,d$ senkrecht auf $m\,y$, so sind die

Schnittpunkte von $m\,y$ mit der Ellipse die Doppelpunkte jener Involution, deren Centralpunkt m und $d\,s'$ ein Punktepaar ist.

Die Achsen und die unendlich ferne Gerade bilden nach 70. ein Poldreieck. Denkt man sich für alle Punkte das rechtwinkelige Paar conjugierter Polaren, so schneidet ein jedes derselben die unendlich ferne Seite des genannten Poldreieckes in einem Punktepaare der Involution der unendlich fernen imaginären Kreispunkte (siehe 75). Nach 90. müssen daher die rechtwinkeligen conjugierten Polaren auch die Achsen in den Punktepaaren von Involutionen schneiden, deren Centralpunkt der Mittelpunkt ist. Zur Bestimmung dieser Involutionen genügt also ein einziges Paar. Zeichnet man in p auf die Tangente die Senkrechte N, welche die *Normale* genannt wird, so sind T und N zwei conjugierte Polaren, die auf einander senkrecht stehen. Sie schneiden daher die Achse $m\,x$ in dem Punktepaare $s\,\sigma$ der gesuchten Involution und $m\,y$ in jenem $s'\,\sigma'$, und man sieht, dass eine der Involutionen, hier jene auf $m\,x$, reelle Doppelpunkte f_1 und f_2 und die zweite auf $m\,y$ imaginäre Doppelpunkte hat.

Errichtet man in σ eine Senkrechte auf $m\,x$, so schneidet diese den Halbkreis vom Durchmesser $m\,s$ in k, und es sind $f_1\,f_2$ die Doppelpunkte der genannten Involution, wenn $m\,f_1 = m\,f_2 = m\,k$ ist. Da $m\,k$ kleiner als $m\,i$ ist, so sieht man, dass **bei der Ellipse die Doppelpunkte $f_1 f_2$ zwischen den Scheiteln** a, a_2 liegen.

Um die durch den Punkt e gehenden, auf einander senkrecht stehenden conjugierten Polaren $A\,\mathfrak{A}$ zu finden, lege man durch $e\,f_1\,f_2$ einen Kreis. Dieser schneidet $m\,y$ in $g\,h$. Man wird bewiesen haben, dass die Verbindungslinien $e\,g$ und $e\,h$ die verlangten conjugierten Polaren sind, wenn man zeigt, dass $m\,g \times m\,h = m\,s_1 \times m\,\sigma_1$, denn dann sind g und h ein Punktepaar der Involution auf $m\,y$.

Es ist $\triangle\, m\,s\,s' \backsim \triangle\, m\,\sigma\,\sigma'$ daher
$$m\,s : m\,\sigma' = m\,s' : m\,\sigma$$
und $m\,s \times m\,\sigma = m\,s' \times m\,\sigma'\ \ldots{}^1$).
Da aber $f_1\,f_2$ die Doppelpunkte der Involution auf $m\,x$ sind, so ist
$$\overline{m\,f_2}^{\,2} = m\,s \times m\,\sigma.$$
daher mittelst ^{1}) $m\,s' \times m\,\sigma' = \overline{m\,f_2}^{\,2}\ \ldots{}^2$).
In dem durch $f_1\,f_2\,e$ gehenden Kreise ist aber:
$$\overline{m\,f}^{\,2} = m\,g \times m\,h$$
daher mittelst ^{2}) $m\,g \times m\,h = m\,s' \times m\,\sigma'$.

Auf diese Art erhält man für jeden Punkt ausserhalb der Achsen ein ganz bestimmtes Paar rechtwinkeliger conjugierter Polaren. Fällt e in die Achse mx, so ist mx die eine und die Parallele zu my die conjugierte rechtwinkelige Polare. Nur für f_1 und f_2 erhält man unendlich viele rechtwinkelige conjugierte Polaren, indem jeder durch $f_1 f_2$ gelegte Kreis zwei Punkte der Involution auf my liefert, die mit f_1 oder f_2 verbunden zwei conjugierte rechtwinkelige Polaren in f_1 oder f_2 geben.

Die Strahleninvolutionen conjugierter Polaren bestehen also für f_1 und f_2 aus lauter rechtwinkeligen Polaren. Solche Punkte nennt man *Brennpunkte*. Ein Kegelschnitt hat also *zwei reelle Brennpunkte*, welche in einer der Achsen liegen. Diese heisst die *Hauptachse* und ihre Scheitel die *Hauptscheitel*, die andere, welche imaginäre Brennpunkte trägt, *Nebenachse*, ihre Scheitel *Nebenscheitel*. Die Verbindungslinie eines Kegelschnittpunktes mit einem Brennpunkte heisst *Leitstrahl* oder *Radius vector* des Punktes. Die Polare des Brennpunktes heisst *Leitlinie* oder *Directrix*.

2. Wird p ausserhalb der Strecke ss' Fig. 31 angenommen, so wird das Strahlenpaar DD' von jenem mx, my nicht getrennt. Die Strahleninvolution conjugierter Polaren für den Mittelpunkt hat daher reelle Doppelstrahlen und der Kegelschnitt ist eine Hyperbel. Zieht man pc senkrecht auf mx, so ist die Involution conjugierter Pole auf mx durch den Centralpunkt m und ein Punktepaar cs gegeben und man sieht, dass diese Involution imaginäre Doppelpunkte hat, daher die Achse mx die Hyperbel nicht schneidet. Zieht man pd senkrecht auf my, so ist die Involution conjugierter Pole auf my durch

Figur 31.

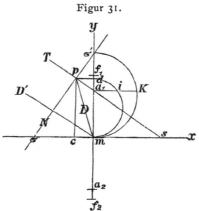

den Centralpunkt m und das Punktepaar ds' gegeben. Diese Achse schneidet die Hyperbel, denn die genannte Involution hat reelle Doppelpunkte. Beschreibt man über md als Durchmesser einen Halbkreis, und wird dieser von der in s' auf my errichteten Senkrechten in i geschnitten, so sind $a_1 a_2$ die Scheitel der Hyperbel, wenn $ma_1 = ma_2 = mi$ ist.

Die Brennpunkte f_1 und f_2 sind diesmal die Doppelpunkte der Involution auf my mit dem Centralpunkte m und
dem Punktepaar $s's'$. **Die Hauptachse schneidet also die
Hyperbel, die Nebenachse nicht.**

Beschreibt man über $m\sigma'$ einen Halbkreis, so schneidet
dieser $s'i'$ in k und es sind $f_1 f_2$ die Brennpunkte, wenn mf_1
$= mf_2 = mk$ ist. Da mk grösser ist als mi, so folgt, dass
**bei der Hyperbel die Brennpunkte ausserhalb der durch die
Scheitel auf der Hauptachse begrenzten Strecke liegen.**

Besonderes von der Parabel. Da bei dieser der Mittelpunkt im Unendlichen liegt, so wird sich auch der eine Brennpunkt dort befinden und der andere die Strecken auf der
Achse zwischen den Schnittpunkten der Tangenten und Nor-
malen halbieren.

92. **Hilfssatz. Werden zwei aufeinander senkrecht
stehende Strahlen durch zwei andere harmonisch getrennt,
so halbieren sie die Winkel der letzteren.**

In Fig. 30 sind nach 91. und 23. $f_2 \sigma f_1 s$ vier harmonische
Punkte, daher p ($f_2 \sigma f_1 s$) vier harmonische Strahlen. Zieht
man durch f_1 eine Parallele zu N, so schneidet diese die vier
Strahlen in den vier harmonischen Punkten lnf_1 und dem
unendlich fernen Punkte. Es ist daher n die Mitte von $f_1 l$
$$\text{und} \quad \triangle f_1 np \leqq npl,$$
$$\text{daher} \quad \sphericalangle f_1 pn = npl$$
und es halbiert auch N den Nebenwinkel $f_2 pf_1$. Daraus ergiebt sich der Satz:

**Tangente und Normale eines Kegelschnittpunktes hal-
bieren die Winkel seiner Leitstrahlen.**

Anmerkung. Bei der Parabel ist der eine Leitstrahl
parallel zur Achse.

Es lässt sich jetzt leicht folgender Satz beweisen: **Die
Verbindungslinie des Schnittpunktes zweier Tangenten mit
einem Brennpunkte halbiert den Winkel, den die Leitstrahlen
der Berührungspunkte in Bezug auf denselben Brennpunkt
bilden.**

Es seien Fig. 30 F_1 und F_2 die Leitlinien des Kegelschnittes. Sie müssen auf der Hauptachse senkrecht stehen.
Schneiden dieselben die Hauptachse in φ_1 und φ_2, so sind
$a_2 f_1 a_1 \varphi_1$ und $\varphi_2 a_2 f_1 a_1$ vier harmonische Punkte, es müssen
daher bei der Ellipse φ_1 und φ_2 ausserhalb der Strecke $a_1 a_2$,
bei der Hyperbel dagegen innerhalb derselben liegen. Die
Tangenten in p und q schneiden sich in r, dann ist R die

Verbindungslinie von pq die Polare von r. Diese schneidet F_1 in o, und es ist O die Verbindungslinie von r mit f_1 die Polare von o. Der Pol von $f_1 o$ ist der Schnittpunkt β von F_1 mit O, daher sind O und $f_1 o$ ein Paar conjugierte Polaren und müssen nach 91. aufeinander senkrecht stehen. Schneidet OR in α, so sind $op\alpha q$ vier harmonische Punkte, daher $f(op\alpha q)$ vier harmonische Strahlen, und da $f_1 o \perp f\alpha$, so ist mittelst des Hilfssatzes: $\sphericalangle\, qf_1\,\alpha = \alpha f_1\,p$.

Anmerkung. Bei der Parabel liegt der Scheitel in der Mitte zwischen Leitlinie und Brennpunkt.

93. **Für jeden Punkt eines Kegelschnittes ist das Verhältnis zwischen dem Leitstrahl und der Entfernung von der Leitlinie constant.**

Zieht man in Fig. 30 pv und qw senkrecht auf F_1, so ist zu zeigen, dass $\dfrac{pf_1}{pv} = \dfrac{qf_1}{qw}$. Sind pt und qu parallel zu O, so sind $u\beta to$ vier harmonische Punkte, weil es $q\alpha po$ sind. Demnach sind $f_1 (u\beta to)$ vier harmonische Strahlen und weil $f_1\beta \perp f_1 o$, so ist

$$\sphericalangle\, uf_1\beta = \beta f_1 t \ldots 1)$$

Zieht man diese gleichen Winkel von dem nach vorhergehendem Satze gleichen Winkeln $qf_1\beta$ und $\beta f_1 p$ ab, so erhält man

$$\sphericalangle\, qf_1 u = pf_1 t \ldots 2).$$

Der drei Parallelen wegen ist

$$\sphericalangle\, ptf_1 = tf_1\beta, \text{ daher mittelst } 1)$$
$$\sphericalangle\, uf_1\beta = ptf_1 = f_1 uq$$

daher $\triangle\, f_1 pt \backsim f_1 qu$ und

$$\frac{pf_1}{pt} = \frac{qf_1}{qu} \ \ldots \ 3).$$

Es sind aber auch die Dreiecke ptv und quw ähnlich, daher

$$\frac{pt}{pv} = \frac{qu}{qw}$$

und durch Multiplikation mit 3)

$$\frac{pf_1}{pv} = \frac{qf_1}{qu}.$$

Zusatz. **Bei der Ellipse ist das constante Verhältnis kleiner, bei der Hyperbel grösser, und bei der Parabel gleich 1.**

Bei der Ellipse ist Fig. 30. $a_2 f_1 < a_2 \varphi_1$. Bei der Hyperbel liegt nach 92. φ_1 zwischen $a_1 a_2$ und f_1 ausserhalb, es muss daher $a_2 f_1 > a_2 \varphi_1$ sein. Bei der Parabel liegt nach 92. Anmerkung, der Scheitel in der Mitte zwischen Brennpunkt und Leitlinie.

Anmerkung. Das constante Verhältnis ist für beide Brennpunkte und die zugehörigen Leitlinien dasselbe. Dies folgt aus der Symmetrie der Kegelschnitte in Bezug auf beide Achsen.

Bei der Ellipse ist die Summe, bei der Hyperbel die Differenz der Leitstrahlen eines jeden Punktes constant und zwar gleich der Länge der Hauptachse.

In Fig. 30 ist nach vorhergehendem Satze und Anmerkung $\dfrac{pf_1}{pv} = \dfrac{pf_2}{pz}$, daher $\dfrac{pf_1 + pf_2}{pv + pz} = \dfrac{pf_1 + pf_2}{vz}$ unveränderlich und da es der Nenner ist, auch der Zähler.

Ferner ist $pf_1 + pf_2 = a_1 f_1 + a_1 f_2$ und da $a_1 f_1 = a_2 f_2$
$$pf_1 + pf_2 = a_2 f_2 + a_1 f_2 = a_1 a_2.$$
Bei der Hyperbel muss man subtrahieren um im Nenner vz zu bekommen.

94. Da für den Brennpunkt die Involution conjugierter Polaren rechtwinkelig ist und die letztere nach 58. Folgerung 2. imaginäre Doppelstrahlen hat, so gilt derselbe für ein Paar imaginäre Tangenten. Ein Kegelschnitt wird also durch den Brennpunkt und a) durch drei Tangenten, b) durch zwei Tangenten und auf einer den Berührungspunkt gegeben sein.

Ist der Kegelschnitt eine Parabel, so genügen ausser dem Brennpunkte zur Bestimmung: a) zwei Tangenten, b) eine Tangente mit dem Berührungspunkte, c) die Achsenrichtung und eine Tangente. Eine Hyperbel kann ausser durch einen Brennpunkt noch durch eine Asymptote und eine Tangente gegeben sein.

Ein Paar der gegebenen Tangenten kann in den genannten Fällen auch imaginär sein. Endlich kann der Kegelschnitt auch durch beide Brennpunkte und eine Tangente bestimmt sein. Fall c) bei der Parabel.

Ein Brennpunkt und die zugehörige Leitlinie gelten für ein Paar imaginäre Tangenten mit den Berührungspunkten. Durch Hinzufügen einer Tangente oder eines Punktes ist hierauf der Kegelschnitt vollkommen bestimmt. Die Parabel ist der unendlich fernen Tangente wegen schon durch Brennpunkt und Leitlinie allein bestimmt.

§ 29. Das Kegelschnittbüschel und die Kegelschnittschar.

95. **Das Kegelschnittbüschel.** Durch vier Punkte, dieselben können reell, imaginär, paarweise reell und imaginär sein, kann man unendlich viele Kegelschnitte legen, deren

Gesammtheit *Kegelschnittbüschel* genannt wird. Die vier Punkte heissen die *Basis* oder *Grundpunkte* und jeder einzelne Kegelschnitt ein *Element* des Büschels.

Die vier Grundpunkte können als die Doppelpunkte zweier Involutionen mit den Trägern C_1 und C_2 gegeben sein. Nimmt man von einem Element K_x einen Punkt x an, so kann dasselbe nach 45, 46, 63 oder 64 gezeichnet werden, je nachdem beide Involutionen, oder nur eine oder keine, reelle Doppelpunkte haben.

Das Kegelschnittbüschel bestimmt eine einzige Steinersche Verwandtschaft d. h. man bekommt zum Punkte a denselben Punkt a', ob man diese oder jene zwei Kegelschnitte des Büschels zur Bestimmung der Steiner'schen Verwandtschaft wählt.

Irgend zwei Elemente K_x und K_y des Büschels haben nach 83. ein einziges Tripel conjugierter Pole gemeinschaftlich, von welchem mindestens ein Punkt h reell ist, durch welchen die nach 85. stets reellen zwei Chordalen hindurchgehen. Diese sind hier offenbar C_1 und C_2 und ihr Schnittpunkt ist h. Diese Chordalen sind nach 85. die Doppelstrahlen jener Involution, welche man erhält, wenn man von h aus die homologen Punkte a und a' der Steiner'schen Verwandtschaft projiciert. Infolge dessen werden ha und ha' durch C_1 und C_2 harmonisch getrennt. Bezeichnet man die Polare von a in Bezug auf K_x mit A_x und jene in Bezug auf K_y mit A_y, so müssen sich A_x und A_y auf dem vierten harmonischen Strahl zu ha in Bezug auf C_1 und C_2 schneiden, und es ist demnach a' entweder durch A_x oder A_y allein bestimmt, daher auch durch $C_1 C_2$ und K_x oder K_y die Steiner'sche Verwandtschaft. C_1 oder C_2 sind aber die Chordalen aller Elementenpaare des Büschels, man erhält also zu a denselben Punkt der Steiner'schen Verwandtschaft, wenn K_x mit allen Elementen des Büschels combiniert und schliesslich an die Stelle von K_x jedes beliebige Element treten lässt.

Nun ergiebt sich auch von selbst der Satz des Chasles: **Die Polaren eines Punktes in Bezug auf alle Elemente eines Kegelschnittbüschels bilden ein Strahlenbüschel.**

Heisst der Punkt a, so gehen alle seine Polaren durch den homologen Punkt a' der durch das Büschel bestimmten Steiner'schen Verwandtschaft.

Hauptsatz des Kegelschnittbüschels: **Jede Gerade schneidet die Elemente eines Kegelschnittbüschels in den Punkte-**

paaren einer Involution. Diese ist die Involution conjugierter
Pole, welche der der Geraden entsprechende Kegelschnitt
der Steiner'schen Verwandtschaft auf ihr hervorruft.

Nimmt man auf der beliebigen Geraden G den Punkt
a an, so bestimmt dieser mit den Grundpunkten des Büschels
einen Kegelschnitt K, welcher G noch einmal in b schneiden
muss. Die Tangenten in a und b an K seien ag und bg,

Figur 32.

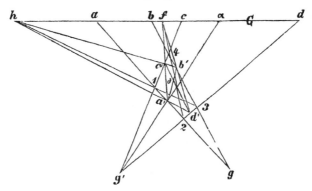

dann ist g der Pol von G in Bezug auf K. Der Punkt c
in G bestimmt einen zweiten Kegelschnitt K' des Büschels,
welcher G noch in d schneidet, und ist g' der Pol von G in
Bezug auf K', so sind cg' und dg' die Tangenten in c und d
an K'. Die vier Tangenten schneiden sich in den Punkten
1, 2, 3 und 4. Die beiden Kegelschnitte K und K' bestimmen
eine Steiner'sche Verwandtschaft, in welcher der Geraden G
ein Kegelschnitt $\Re$ entspricht, der durch g und g' hindurchgeht. Um weitere Punkte des Kegelschnittes zu finden, bestimme man zu abc und d die homologen Punkte $a'b'c'$ und
d'. Die Polare von a in Bezug auf K ist die Tangente ag,
jene in Bezug auf K' $g'\alpha$, wenn α der vierte harmonische
Punkt zu a in Bezug auf cd ist. Der Schnitt beider Polaren
ist a'. Da $g'(ac\alpha d)$ vier harmonische Strahlen sind, so sind
$a1\,a'2$ vier harmonische Punkte. Der homologe Punkt zu a
in der Steiner'schen Verwandtschaft ist also der vierte harmonische Punkt zu a in Bezug auf 1 und 2. Demnach ist auch
b' der vierte harmonische Punkt zu b in Bezug auf 43, c' zu
c in Bezug auf 14 und d' zu d in Bezug auf 23. Die Verbindungslinie 13 schneidet G in h, 42 in f. $a'f$ schneidet $g'c$
in c', was man nach vorhergehendem bewiesen hat, wenn man
zeigt, dass $1c'4c$ vier harmonische Punkte sind. Es sind f

(a_1 a'_2) vier harmonische Strahlen, die von $g'c$ in den vier harmonischen Punkten $c_1 c'_4$ geschnitten werden. Nun ist auch der Schnittpunkt von ha mit $dg'd'$, der Schnittpunkt von $d'f$ mit bgb' und schliesslich muss $b'c'$ auch durch h gehen. $a'b'$ und $c'd'$ schneiden sich in γ und man sieht, dass γ der Pol der Geraden G in Bezug auf den durch $a'b'c'd'gg'$ hindurchgehenden Kegelschnitt $\Re$ ist. Ebenso bemerkt man, dass man nach 54. durch Projection von $a'b'$ von g und von $c'd'$ von g' aus, auf G Punktepaare der auf G auftretenden Involutionen bekommt, diese sind aber ab und cd.

Folgerung. Zieht man durch γ eine Gerade, welche $\Re$ in x' und y' schneidet, so bilden die Homologen x und y dieser Punkte in der Steiner'schen Verwandtschaft ein Paar homologe Punkte der Involution auf G.

Da x' auf $\Re$ liegt, so wird x auf G liegen. x und die Basispunkte des Kegelschnittbüschels bestimmen einen Kegelschnitt, welcher G noch einmal in η schneidet. Der homologe Punkt zu η in der Steiner'schen Verwandtschaft muss auf $\Re$ und nach vorhergehendem auf $x\gamma$ liegen, daher kann er kein anderer Punkt als y' sein, und es ist daher η mit y identisch.

96. **Jene Kegelschnitte sind zu zeichnen, die durch vier Punkte gehen und eine Gerade berühren.** Alle Kegelschnitte, welche durch die vier Punkte gehen, bestimmen nach 95. ein Kegelschnittbüschel, dessen Elemente die Gerade in den Punktepaaren einer Involution schneiden. Die Doppelpunkte dieser Involution sind die Berührungspunkte der gesuchten Kegelschnitte mit der gegebenen Geraden.

Es wird sich demnach um die Bestimmung der Involution auf der Geraden handeln und man wird hierbei folgende Fälle zu unterscheiden haben: a) Die vier Basispunkte sind direct gegeben, also reell, b) dieselben sind als Doppelpunkte zweier Involutionen gegeben, also entweder reell oder imaginär, oder theils reell, theils imaginär.

a) Sind $abcd$ die vier reellen Basispunkte, so giebt es drei Paar gerade Linien nämlich ab und cd, ac und bd und endlich ad und bc, welche drei in gerade Linien degenerierte Kegelschnitte des Büschels darstellen und demnach die gegebene Gerade in drei Paaren der verlangten Involution schneiden. Man sieht darin eine neue Bestätigung des Satzes des Desargues (Siehe 25). Von dieser Involution hat man nun die Doppelpunkte zu bestimmen. Jeder derselben be-

stimmt mit den vier Basispunkten einen der verlangten
Kegelschnitte.

b) In Fig. 33 sind I und II die Träger jener Involutionen,
durch deren Doppelpunkte die vier Punkte jener Kegelschnitte
gegeben sind, die die Gerade G

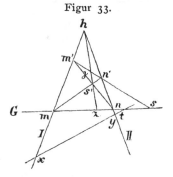

Figur 33.

berühren sollen. Zur Bestimmung
der Berührungspunkte derselben
ist nach früherem die Involution
auf G zu ermitteln. Sind m und
n die Schnittpunkte von I und II
mit G, so ist mn ein Punktepaar
der Involution, da I und II ein in ein
Geradenpaar degenerierter Kegelschnitt sind, der dem Büschel
angehört. Die Involution auf G
wird ferner nach 95. durch den Kegelschnitt $\Re$ hervorgerufen,
der der Geraden G in der durch das Büschel bestimmten
Steiner'schen Verwandtschaft entspricht. Schneiden sich I
und II in h, so ist h ein Punkt des allen Kegelschnitten
gemeinschaftlichen Tripels conjugierter Pole. $\Re$ muss daher
nach 84. durch h gehen. Schneidet der Träger I die gegebene Gerade G in m, und ist m' der homologe Punkt zu m
in der auf I gegebenen Involution, so ist m' auch der homologe Punkt zu m in der Steiner'schen Verwandtschaft, daher
durch denselben $\Re$ gehen muss. Ebenso geht $\Re$ durch n',
wenn n' der homologe Punkt zu n, dem Schnittpunkte von II
und G in der auf II gegebenen Involution ist. Auf der Verbindungslinie $m'n$, muss nach 95. γ der Pol von G in Bezug auf
$\Re$ liegen. Schneidet mm' die Gerade G in s, so müssen $m\gamma m's$
vier harmonische Punkte sein, daher findet man γ, wenn man
mn' mit $m'n$ in s' zum Schnitte bringt und $s'h$ mit $m'n'$
schneidet. s' ist nun auch ein Punkt des Kegelschnittes $\Re$,
denn $m'(mzns)$ sind vier harmonische Strahlen, welche von
hs' in vier harmonischen Punkten $hzs'\gamma$ geschnitten werden.
Ist x der homologe Punkt zu h in der Involution auf I, y in
jener II, so ist xy oder H die allen Kegelschnitten zu h gemeinschaftliche Polare und diese schneidet G in t. Sucht
man zu t den homologen Punkt in der Steiner'schen Verwandtschaft, so ist dieser h. Der homologe Punkt zu s in der
Steiner'schen Verwandtschaft muss auf dem vierten harmonischen Strahl zu hs in Bezug auf die beiden Chordalen und auf
$\Re$ liegen, es kann daher kein anderer Punkt als s' sein. Nach

Geraden G, wodurch man auf cd den Centralpunkt i und auf den Parallelen durch p und p' das Punktepaar xx' einer Involution erhält. Beschreibt man über ix als Durchmesser einen Halbkreis und schneidet dieser den durch p' gehenden Strahl in e, so sind δ_1 und δ_2, auf G gelegen, die Doppelpunkte der Involution, wenn $i\delta_1 = i\delta_2 = ie$ ist. Die durch δ_1 und δ_2 auf $f_1 f_2$ gefällten Senkrechten sind nun ebenfalls Chordalen, daher ihre Schnittpunkte mit den ersteren die verlangten gemeinschaftlichen Punkte beider Ellipsen.

Verbesserungen.

Seite 10, Zeile 9 v. u. $O'c$ statt $O'C'$;

„ „ „ 8 „ „ Oc „ OC;

„ 27, „ 1 „ o. 34 „ 33;

„ 33 lese man 27 statt 26;

„ 42, Zeile 20 v. o. 46 statt 44.

Druck von Ehrhardt Karras, Halle a. S.

CPSIA information can be obtained
at www.ICGtesting.com
Printed in the USA
BVHW071337231118
533754BV00029B/2948/P

9 780484 957069